γ
β
X
D
C
G
Z
3
4
3
4
6
6
6
5

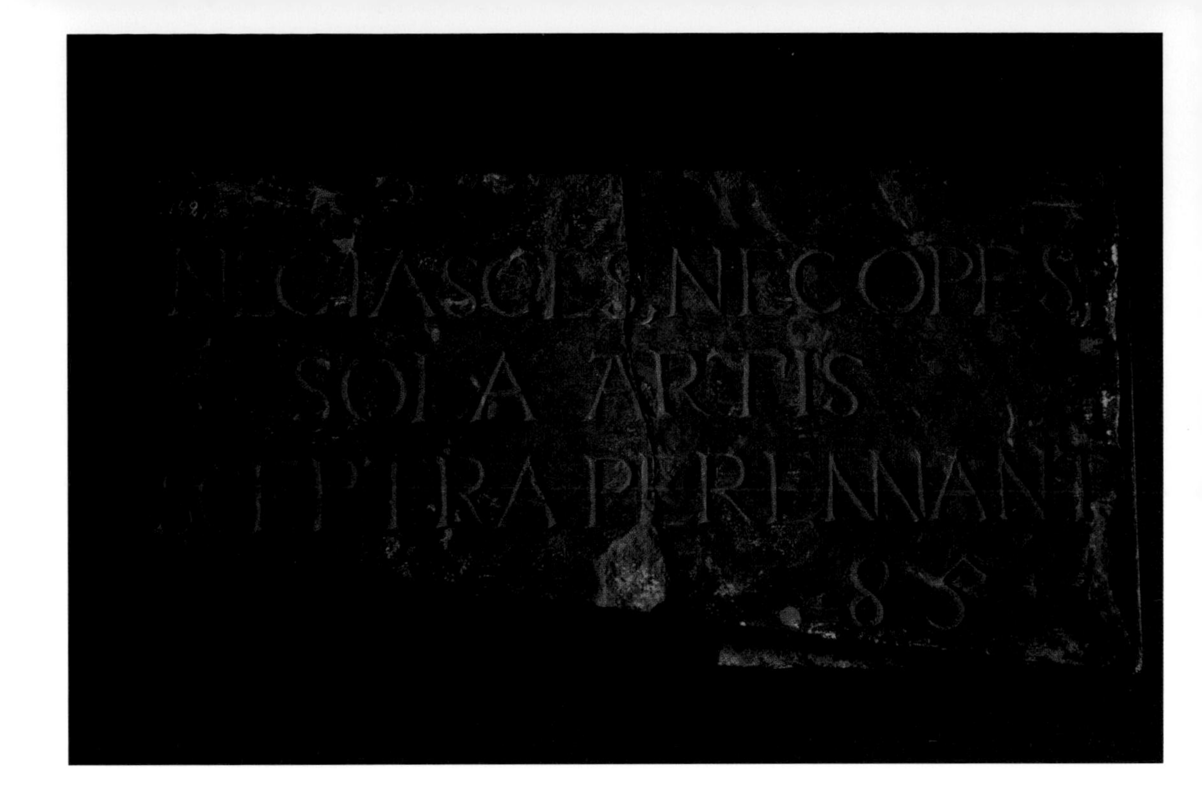
SOLA ARTIS

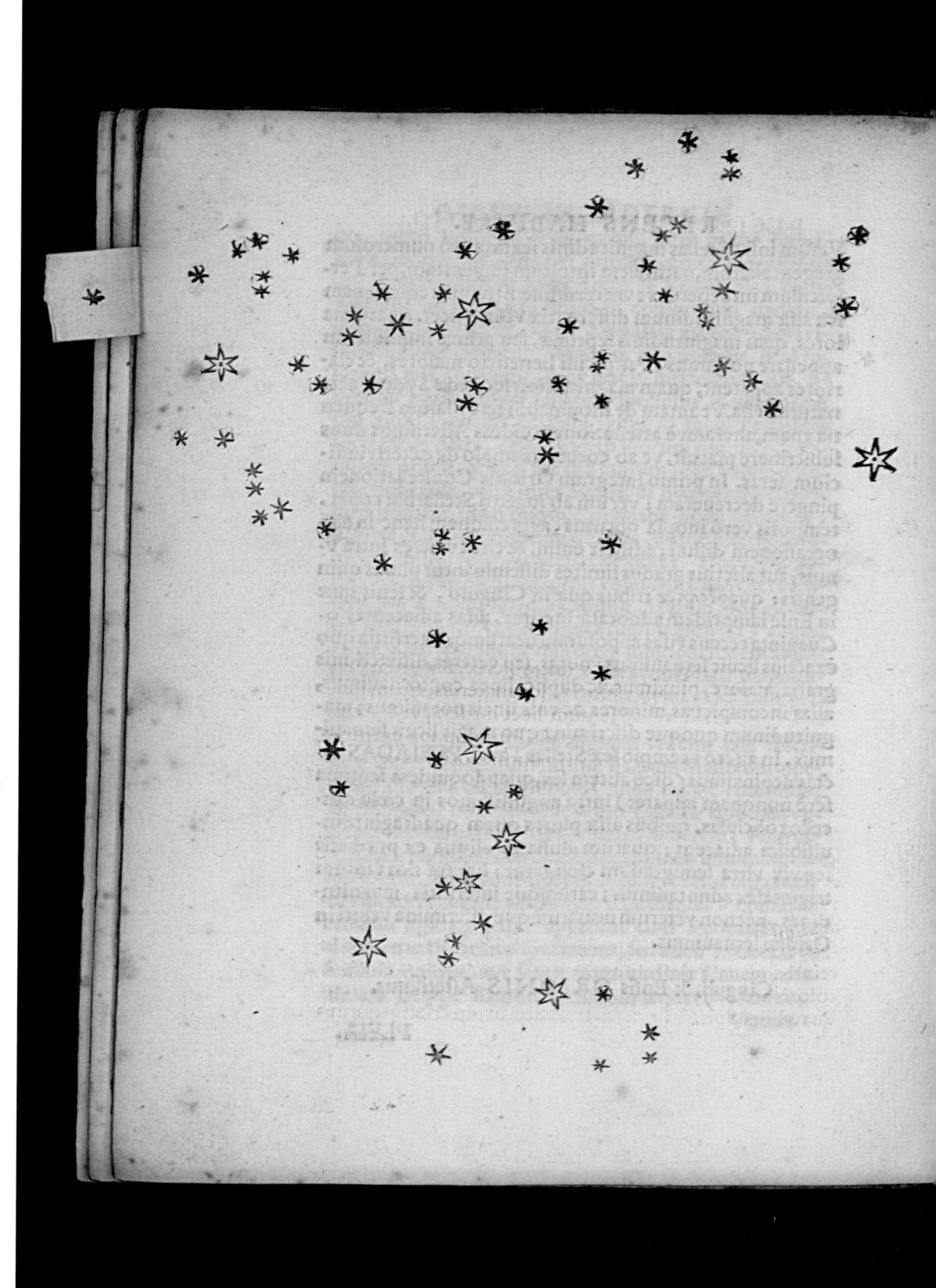

PLEIADVM CONSTELLATIO.

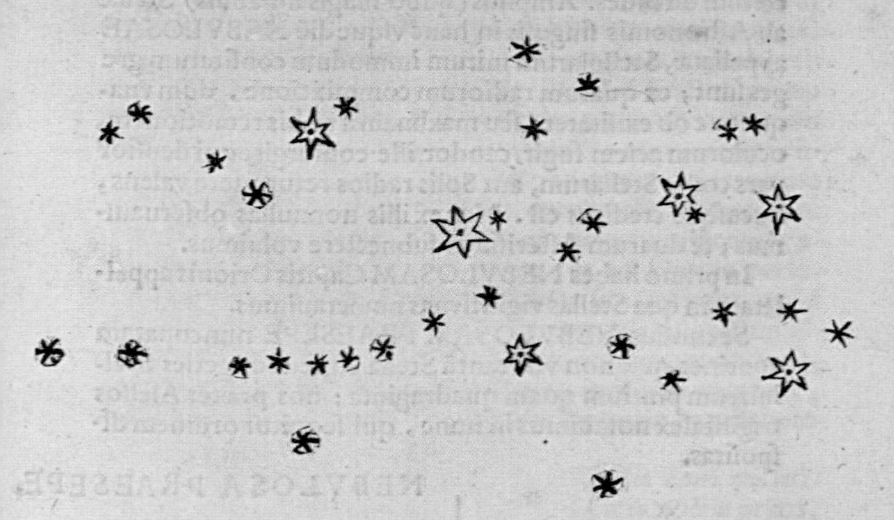

Quod tertio loco à nobis fuit obseruatum, est ipsiusmet LACTEI Circuli essentia, seu materies, quam Perspicilli beneficio adeò ad sensum licet intueri, vt & altercationes omnes, quæ per tot sæcula Philosophos excruciarunt ab oculata certitudine dirimantur, nosque à verbosis disputationibus liberemur. Est enim GALAXYA nihil aliud, quam innumerarum Stellarum coaceruatim consitarum congeries; in quamcunq; enim regionem illius Perspicillum dirigas, statim Stellarum ingens frequentia se se in conspectum profert, quarum complures satis magnæ, ac valde conspicuæ videntur; sed exiguarum multitudo prorsus inexplorabilis est.

At cum non tantum in GALAXYA lacteus ille candor, veluti albicantis nubis spectetur, sed complures consimilis coloris areolæ sparsim per æthera subfulgeant, si in illarum quamlibet Specillum conuertas Stellarum constipatarum

cetum

7 8 9

ST
IN SILENTIO

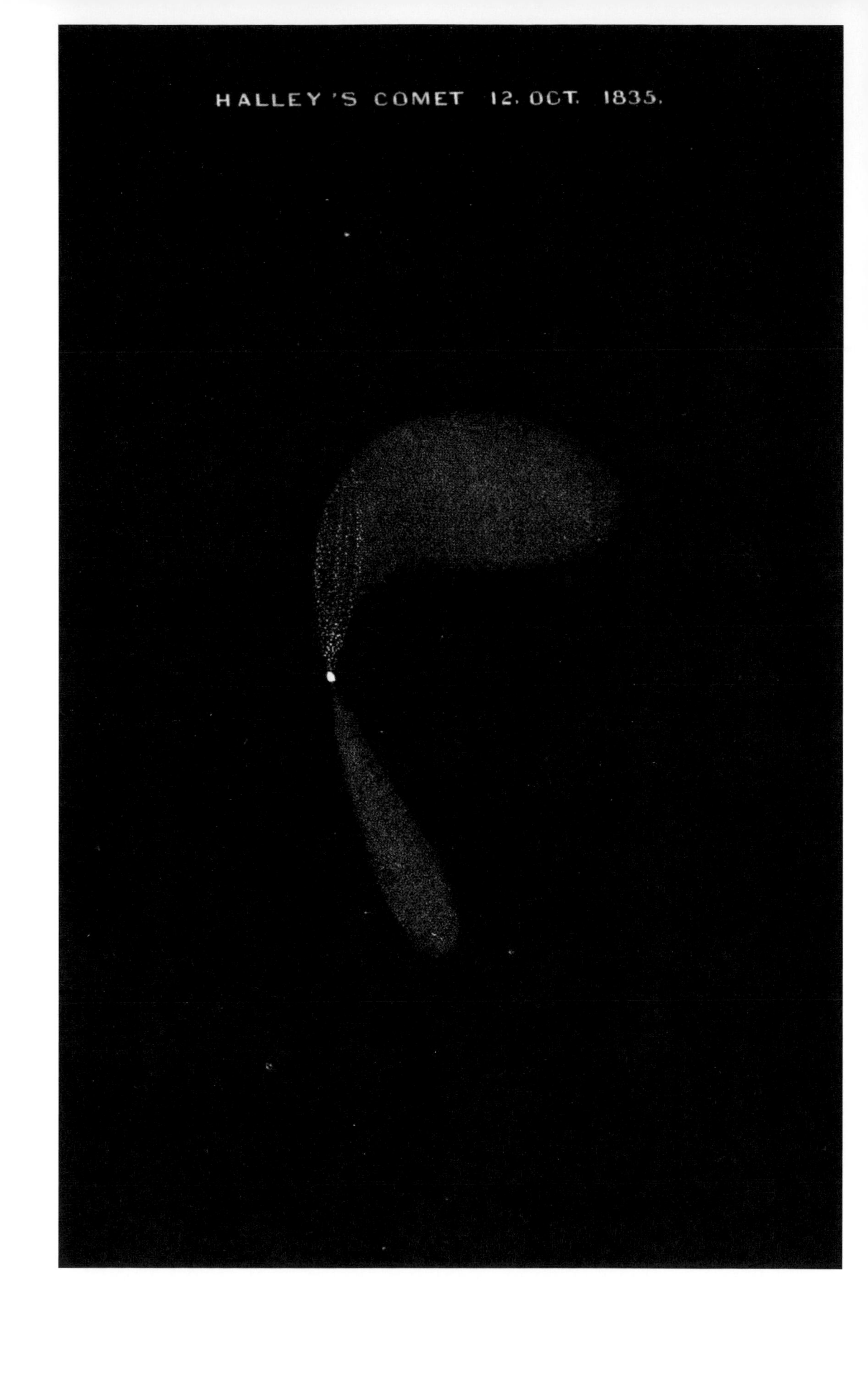
HALLEY'S COMET 12. OCT. 1835.

17

[…] *Le jardin des sculptures avait été redécouvert par les surréalistes après la guerre, et après quatre siècles d'oubli presque total. Les habitants des environs le considéraient comme le théâtre d'actes sexuels effroyables qui auraient été niés ou effacés par la famille Orsini.*

Dalí, surtout, y est venu à plusieurs reprises, répandant la nouvelle de l'existence de ces fantômes de pierre auprès des visiteurs étrangers.

« Je regardais ces misérables membres qui tremblaient encore entre leurs gencives et entendais rompre et froisser les os si bien que j'en avais la plus grande pitié du monde. Jamais ne fut plus cruelle boucherie, ni spectacle plus piteux ! Pour certains la mémoire seule me fait presque mourir de peur. Pensez je vous prie, en quel état je pouvais être, cachée dedans ce buisson, éperdue de frayeur : et vous jugerez que je me devais trouver plus morte que vive. » […]

21 22

[…] *« Cet éléphant avait sur le haut du dos comme une bastière ou couverture de cuivre, liée à deux sangles larges, étreintes par-dessous et environnant tout le ventre, entre lesquelles était fait comme un pilier carré en forme de piédestal, de mesure correspondante à la grosseur de l'obélisque dressé sur le dos de la bête. Les trois faces de ce piédestal étaient entaillées de lettres égyptiennes et en la quatrième était la porte pour y entrer. »*

SE RODI ALTIER GIA FU DEL SUO COLOSSO
PUR DI QUEST IL MIO BOSCO ANCHO SI GLORIA
E PER PIU NON POTER FO QUANTO IO POSSO

« Ce grand animal était soutenu d'un soubassement de porphyre. Les deux grandes dents qui saillaient de sa bouche furent faites de pierre blanche, reluisante comme ivoire. À sa couverture était attaché un poitrail de cuivre au milieu duquel était écrit en lettres latines : CEREBRUM EST IN CAPITE, c'est-à-dire ‹ le cerveau est en la tête ›. » […]

[…] *À la fin de sa vie, Marcel Duchamp a été photographié par son ami Gianfranco Baruchello dans le jardin de la Villa Orsini. Il était à Rome pour le tournage de* La Verifica Incerta *de Baruchello et Alberto Grifi.*

À Bomarzo, on le voit accroupi entre les jambes de la sirène, un cigare à la main. On peut le voir également au fond d'une tombe étrusque, devant les petits chevaux d'une fresque, telle qu'on en trouve à Cerveteri ou à Tarquinia, dans la région de Bomarzo. […]

Extraits de *Bomarzo*.

24

fig L.

SoundFossil

1619

38 39 *40*

41

42

44

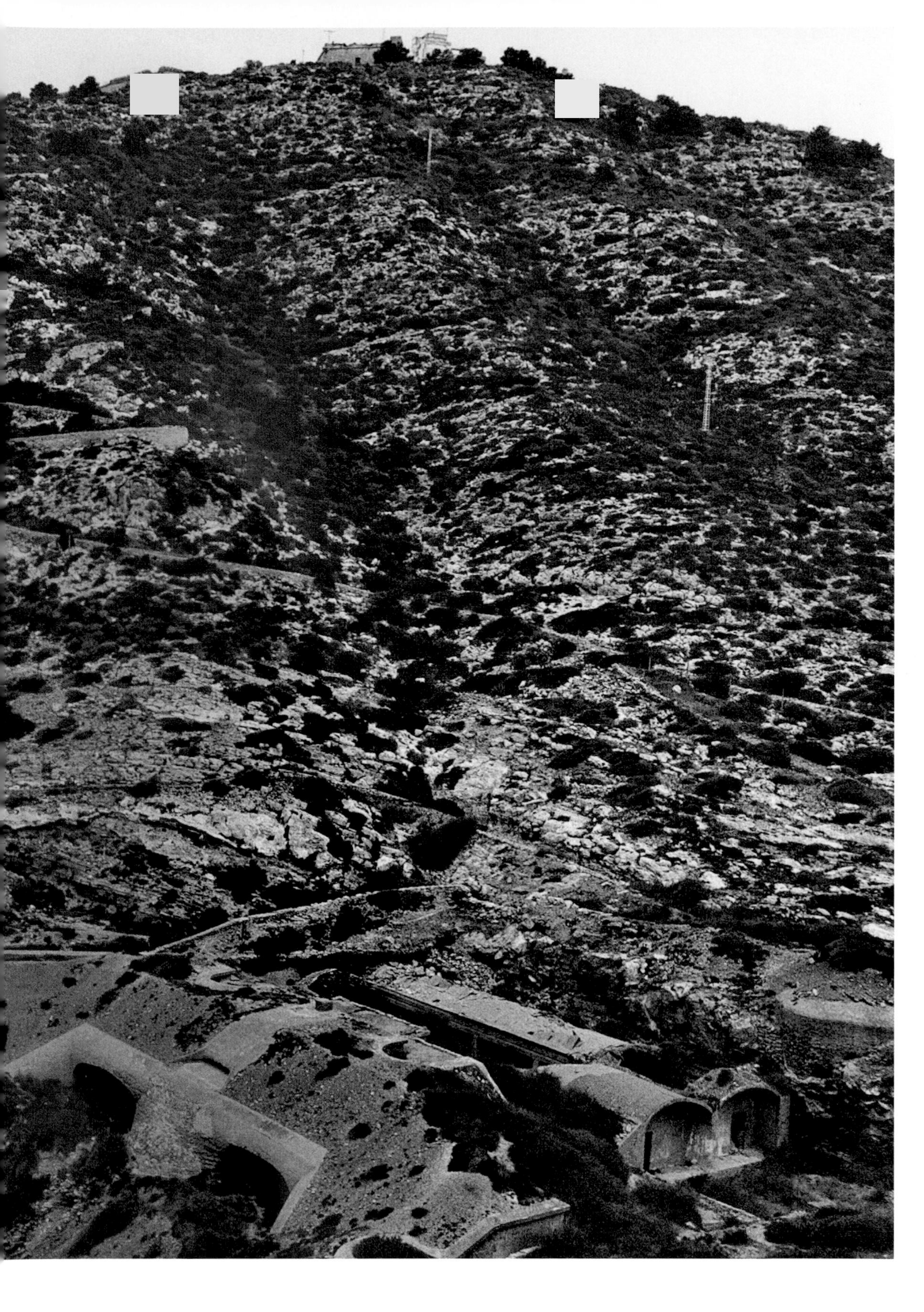

48 49 *50*

The Sile

MARIE FRASER

NOTICES

1

Détail du château d'Uraniborg d'après une gravure extraite de *Epistolarum astronomicarum libri* de Tycho Brahé, 1610.

2

Château d'Uraniborg, bâtiment principal, extrait de l'*Atlas Maior* de Joan Blaeu, Amsterdam, 1663.

Uraniborg, ou « palais d'Uranie », qui tire son nom de la Muse de l'astronomie, a été construit en 1576 sur l'île de Ven, située entre le Danemark et la Suède. Financé par le roi Frédéric II, le palais abritait le plus important observatoire d'Europe, où l'astronome Tycho Brahé mena, sur une période de vingt ans, des recherches sur la configuration des étoiles et le mouvement des planètes. L'architecture est unique, elle se déploie comme un vaste dispositif de vision, par ses ouvertures qui permettent une observation directe du ciel. Tycho Brahé administra l'île comme un tyran jusqu'à la mort de Frédéric II. Il quitta le site en 1597, à la suite de la destruction de son domaine par les habitants de l'île. Il ne reste quasiment plus de traces du château aujourd'hui. Les circonstances entourant sa mort, en 1601, font l'objet d'une controverse : l'astronome Johannes Kepler est ainsi soupçonné d'avoir empoisonné Tycho Brahé. Des analyses scientifiques récentes ont permis de découvrir du mercure dans un échantillon de ses cheveux, mais il reste difficile de déterminer si ce mercure provient de son laboratoire d'alchimiste ou s'il s'agit de la preuve de l'empoisonnement.

3

4

Uraniborg, 2012. Film 16 mm.

Le film *Uraniborg* revient sur l'île de Ven et opère comme un documentaire de l'invisible sur le château, aujourd'hui disparu, de Tycho Brahé. Construit avant l'invention de la lunette astronomique, le « château-observatoire » était doté de nombreuses percées vers le ciel. Une voix-off réinvestit cette faille du visible et crée des liens entre l'architecture et la notion de dispositif d'exposition.

5

1610 I, 2011. Néons, transformateurs, approx. 350 × 250 cm. Courtesy Alfonso Artiaco.

1610 reprend un dessin de Galilée issu de son ouvrage *Sidereus Nuncius* (« messager des étoiles »), publié en 1610. L'œuvre en néon réinterprète le dessin original d'une constellation d'étoiles et établit un parallèle entre le temps que la lumière des étoiles met à nous parvenir et le temps que l'Église a pris pour réhabiliter Galilée après l'avoir accusé d'hérésie.

6

Galileo Galilei, dit Galilée, pages extraites du *Sidereus Nuncius*, Venise, 1610.

Cette gravure a été reproduite dans une publication du Conseil pontifical pour la culture éditée par le Vatican. Il s'agit du premier ouvrage scientifique d'astronomie fondé sur des observations faites à partir d'une lunette astronomique. La parution du *Sidereus Nuncius*, en 1610, dans lequel Galilée avance que la terre tourne autour du soleil, est à l'origine des accusations d'hérésie portées contre lui par l'Inquisition. Il fallut quatre siècles à l'Église pour se rétracter.

7

1610 II et Sandro Botticelli (1444-1510), *Mariage mystique de sainte Catherine d'Alexandrie*. Vue de l'exposition *Portrait of a Young Man*, Bass Museum, Miami, 2011-2012.

Dans l'exposition *Portrait of a Young Man*, la constellation d'étoiles en néon est présentée en relation avec la toile du *Mariage mystique de sainte Catherine d'Alexandrie* de Sandro Botticelli, faisant partie de la collection du Bass Museum. La proximité des deux œuvres évoque les liens particulièrement forts à la Renaissance entre l'art, la science et la religion.

8

The Construction of History, film, 2012.

Ces trois images sont extraites d'un tournage effectué à partir du cortège diplomatique lors des funérailles du pape Jean-Paul II, au Vatican, en 2005. Il montre la culture de la mise en scène et l'importance des dispositifs symboliques employés par le Vatican.

9

In Silentio, fresque, 1582, Sala Vecchia degli Svizzeri, Palazzo Vaticano, Cité du Vatican.

Cette fresque se situe au Vatican, dans la salle des gardes suisses. Non accessible au public, elle illustre la culture du silence qui règne au Vatican : c'est dans cette salle que l'on apprend aux gardes suisses à conserver le silence.

10

John G. Hagen, S. J. (1847-1930) devant le télescope, Specola Vaticana, après 1910.

Cette photographie représente le jésuite John G. Hagen dans l'observatoire astronomique du Vatican (Specola Vaticana). Elle montre le lien étroit entre la religion et l'observation du ciel. Le père Hagen est décrit dans une publication de l'*Astronomical Society of the Pacific* comme étant l'un des chercheurs les plus dévoués à la quête de la vérité par l'exploration du ciel. Il a dirigé l'observatoire du Vatican au début du XXe siècle. Specola Vaticana est considéré comme l'un des observatoires astronomiques les plus anciens du monde ; son origine remontant jusqu'à la seconde moitié du XVIe siècle. En raison de la pollution lumineuse élevée du ciel de Rome, les recherches en astronomie menées par l'Église ont été déplacées aux États-Unis.

11

Les Oiseaux, 2008. Vidéo numérique, couleur, son, 8 min 55 sec, en boucle. Vue de l'exposition *French Art Today : Marcel Duchamp Prize*, NMCA, National Museum of Contemporary Art, Séoul, 2011.

Filmées dans le ciel de Rome au-dessus du Vatican, des nuées d'étourneaux dessinent à très grande vitesse dans le ciel des formes graphiques. Les oiseaux se comportent comme des particules dans un champ magnétique évoluant de manière aléatoire. Certaines civilisations interprètent les vols d'étourneaux comme des présages.

12

Les Oiseaux, 2008. Vidéo numérique, couleur, son, 8 min 55 sec, en boucle. Collection Kitty et Tom Stoner, Maryland, courtesy Guggenheim Asher Associates, New York.

13

Studies into the past. Dessin faisant référence au film *Les Oiseaux*. Encre et aquarelle sur papier, dessin 21,3 × 27,6 cm, encadré 44,3 × 50,5 cm. Courtesy Sean Kelly Gallery, New York.

Studies into the past est le titre générique d'un projet conceptuel qui regroupe des dessins et des huiles sur panneau de bois au style et à la facture inspirés des peintres flamands et italiens des XVe et XVIe siècles. Les références, caractéristiques de l'époque, sont mélangées à des éléments du futur, phénomènes étranges ou célestes, issus des films : éclipses, aurores boréales, météorites, nuages d'oiseaux ou de fumée, pierre lévitant au-dessus d'un paysage. Ce mélange des temps passé, présent et futur, a pour objectif de produire une fausse mémoire historique. Ce dessin fait référence à la vidéo *Les Oiseaux*. Sa facture ancienne et sa composition rappellent les dessins de la Renaissance et invitent à penser qu'il préexiste à la vidéo.

14

La comète de Halley, extrait de *The Sidereal Messenger*, Carleton College Observatory, Northfield, Minnesota, 1891.

La comète de Halley est sans doute la plus connue des comètes. Elle fut baptisée, en 1758, en l'honneur de l'astronome britannique Edmond Halley (1656-1742), qui fut le premier à déterminer sa périodicité. Les premiers passages de cette comète dans le ciel sont documentés depuis l'an 611 avant J.-C. dans des textes chinois. Halley avait prédit — ou calculé — qu'elle repasserait près de la terre en 1758.

15

Studies into the past. Peinture faisant référence au film *1619*. Colle animale, résine mastic, huile cuite et pigments sur panneau de chêne, peinture 25,4 × 31,8 cm, encadré 37,5 × 43,8 cm. Collection Musée d'art contemporain de Montréal.

Dans le film *1619*, les aurores boréales illuminent le ciel d'un paysage moderne de sphères géodésiques. C'est en 1619 que Galilée a utilisé pour la première fois le terme latin *aurora borealis* pour désigner le phénomène lumineux des aurores polaires.

16

Vue de l'exposition *Portrait of a Young Man*, Bass Museum, Miami, 2011-2012.

Le titre de cette exposition fait référence à un titre générique de l'histoire de l'art et de la littérature. C'est aussi une peinture de la Renaissance attribuée à Francesco Botticini, appartenant à la collection du Bass Museum. Laurent Grasso a réalisé un accrochage d'œuvres de la Renaissance et du Moyen-Âge tardif, sélectionnées dans la collection du musée, de peintures de la série *Studies into the past*, de vidéos, de néons et de sculptures, créant ainsi un nouveau dispositif. Les différents éléments établissent des relations avec le passé, le présent et le futur, et l'exposition s'articule comme un voyage dans le temps.

a

Studies into the past. Peinture faisant référence au film *Horn Perspective*. Colle animale, résine mastic, huile cuite et pigments sur panneau de chêne, peinture 27,9 × 34,3 cm, encadré 38,1 × 44,5 cm. Collection Robert Littman.

Dans le film *Horn Perspective*, une envolée d'oiseaux s'enfonce dans la perspective d'une forêt. Les arbres allongés reprennent le style des peintures de Sandro Botticelli et de Paolo Uccello.

b

Élève de Guido Reni, *Extase de saint François*, peinture du XVIIe siècle.

c

Œuvre de la série *Rétroprojection*, 2007. Sérigraphie encre argentée contrecollée sur aluminium, châssis affleurant, 250 × 150 cm. Courtesy Galerie chez Valentin, Paris & Sean Kelly Gallery, New York.

Cette sérigraphie fait partie de *Rétroprojection*, une série d'œuvres réalisées à partir de sources historiques, d'archives et de documents officiels. Les images proviennent d'illustrations d'ouvrages scientifiques, dont plusieurs sont empruntées à *L'Astronomie populaire* de Camille Flammarion (1879). Elles illustrent des phénomènes célestes : éclipses, comètes, météorites, constellations.

d

École italienne ou française, *Vierge à l'Enfant*, sculpture datant du XVe siècle.

e

Marcellus Coffermans, *Sainte Famille avec un ange*, peinture flamande du XVIe siècle.

f

Studies into the past. Peinture faisant référence au film *Éclipse*. Colle animale, résine mastic, huile cuite et pigments sur panneau de bois, peinture 51,5 × 59 cm, encadré 67,5 × 74,5 cm. Collection Dr Diane Vachon.

17

Studies into the past. Peinture faisant référence au film *Psychokinesis*. Colle animale, résine mastic, huile cuite et pigments sur panneau de bois, peinture 50 × 56 cm, encadré 68 × 74 cm. Collection de l'artiste.

18

19

20

Anechoic Pavilion, 2011. Bois sipo, bois laminé, verre, 300 × 400 × 370 cm. Courtesy Galerie chez Valentin, Paris & Edouard Malingue Gallery, Hong Kong.

Ce pavillon vitré est une extension contemporaine de la *camera obscura*. Conçu comme un dispositif de vision, il propose un espace d'observation du paysage en retrait du monde et proche de l'expérience visuelle du cinéma. Sa structure anéchoïde permet un isolement sonore favorisant une situation perceptive dans le paysage. Des enceintes acoustiques placées à l'intérieur offrent la possibilité de diffuser une bande sonore.

21

Bomarzo, 2011. Film Super 8 sur support DVD, couleur, son, 18 min, en boucle. Courtesy Galerie chez Valentin, Paris & Sean Kelly Gallery, New York.

Bomarzo a été filmé dans les jardins de Bomarzo, aussi nommés parc des Monstres (*Parco dei Mostri*), construit par le comte Vicino Orsini vers 1550 dans la province de Viterbe, en Italie. Le complexe abrite un parc de sculptures extravagantes, représentant un ensemble de thèmes et de figures de la mythologie, dont plusieurs sont inspirés du *Songe de Poliphile*.

La narration en voix-off est une construction qui mêle des citations d'inscriptions gravées sur les socles des sculptures, les plaques et les pans de mur, de documents et d'études sur Bomarzo et du *Songe de Poliphile*. Depuis sa redécouverte, par des artistes surréalistes à la fin des années 1930, le jardin demeure encore aujourd'hui un endroit mystérieux dont les interprétations sont multiples.

22

Salvador Dalí dans les jardins de Bomarzo. Photogramme issu du film *Nel mondo del surreale : Salvador Dalí nel « giardino dei mostri »*. Archives Cinecittà Luce.

Salvador Dalí aurait été l'un des premiers visiteurs du parc, à la fin des années 1930. *La Tentation de Saint-Antoine*, une œuvre de 1946, s'inspirerait de plusieurs motifs du jardin des monstres. Dalí serait retourné à Bomarzo à plusieurs reprises et aurait diffusé l'existence du jardin auprès des artistes du mouvement surréaliste.

23

Bomarzo, 2011. Film Super 8 sur support DVD, couleur, son, 18 min, en boucle. Courtesy Galerie chez Valentin, Paris & Sean Kelly Gallery, New York.

24

Marcel Duchamp dans les jardins de Bomarzo devant la sirène, photographie de Gianfranco Baruchello.

25

Bomarzo, 2011. Film Super 8 sur support DVD, couleur, son, 18 min, en boucle. Courtesy Galerie chez Valentin, Paris & Sean Kelly Gallery, New York.

L'ours est l'emblème des Orsini (*Ursinus*).

26

Musée départemental d'art contemporain de Rochechouart, détail de la salle dite « des chasses ».

27

Camera obscura, 2008. Placoplâtre, bois, lentille, cône 285 × 188 × 88 cm, chambre 492 × 357 × 250 cm. Production Musée départemental d'art contemporain de Rochechouart.

Grâce au dispositif de la *camera obscura*, le grenier de l'ancien château du XVe siècle est transformé en une immense « machine à paysage ». Cet appareil archaïque, à l'origine de la photographie, capte le paysage extérieur pour en retransmettre une image inversée à l'intérieur d'une chambre noire. Cette expérience perceptive s'accompagne du son enregistré de corbeaux — omniprésents autour du château.

28

Hélioscope, extrait de *Selenographia*, de Johannes Hevelius, 1647.

29

Camera obscura. Vue de l'exposition *Neurocinéma*, Musée départemental d'art contemporain de Rochechouart, 2008.

30

Château de Rochechouart, charpente du corps de bâtiment occupé par la sous-préfecture en 1981.

31

Vue de l'exposition *Neurocinéma*, Musée départemental d'art contemporain de Rochechouart, 2008.

Neurocinéma est l'exposition présentée dans le grenier du château de Rochechouart, regroupant un ensemble d'œuvres qui réexamine différents dispositifs utilisés pour enregistrer ou reproduire le monde qui nous entoure : la *Camera obscura*, le *Project 4 Brane*, une version de la fenêtre de *Radio Ghost* et la vidéo *Les Oiseaux*. Ces quatre « machines à paysage » cherchent à détourner la réalité pour la confondre avec les mécanismes de perception.

32

Horn Antenna, 2010. Cuivre, aluminium et bois, 69,2 × 37,5 × 34,3 cm. Courtesy Galerie chez Valentin, Paris & Sean Kelly Gallery, New York.

Horn Antenna est la reconstitution en maquette d'un modèle de laboratoire inspiré du XIXe siècle. L'œuvre renvoie plus précisément aux expérimentations menées en 1964 par deux radio-astronomes américains, Arno A. Penzias et Robert W. Wilson, qui ont conduit à la découverte du rayonnement fossile, écho du Big Bang ayant donné naissance à l'univers il y a dix milliards d'années. L'antenne Horn est utilisée pour mesurer la puissance des ondes radio émises par la voix lactée.

33

Vue de l'exposition *Sound Fossil*, Sean Kelly Gallery, New York, 2010.

L'exposition *Sound Fossil* montre le basculement entre une mythologie contemporaine et une hypothèse scientifique, qui concernent toutes deux la découverte de sons provenant d'autres espaces-temps. Le titre fait référence à la mythologie du fossile sonore, qui voudrait que des vibrations sonores provenant du passé soient conservées dans des objets, tels des poteries et des pierres. Quant à la découverte scientifique, c'est celle qui a été faite accidentellement, en 1964, par Penzias et Wilson, du rayonnement fossile, écho du Big Bang.

34

Vue arrière de l'antenne Horn et de l'édifice № 3, en 1988, Holmdel, New Jersey.

35

Vue de l'exposition *Portrait of a Young Man*, Bass Museum, Miami, 2011-2012.

a

Francesco Botticini, *Portrait of a Young Man*, XVe siècle. Collection Bass Museum, Miami.

Depuis la Renaissance italienne, le titre *Portrait of a Young Man* (« portrait d'un jeune homme ») est repris et réinterprété par de nombreux artistes à travers l'histoire de l'art et la littérature. Il joue un rôle similaire à *Studies into the past* en ce qu'il désigne une infinité de possibles.

b

1619, 2007. Néon, transformateur, 8 × 15 × 2 cm. Courtesy Galerie chez Valentin, Paris & Sean Kelly Gallery, New York.

Le néon *1619* fait référence au film du même titre reproduisant les effets colorés d'une aurore boréale. Le titre correspond à la date à laquelle Galilée utilisa pour la première fois le terme latin *aurora borealis* pour désigner le phénomène lumineux.

c

Horn Antenna, 2010. Cuivre, aluminium, bois et socle, 69,2 × 37,5 × 34,3 cm. Courtesy Galerie chez Valentin, Paris & Sean Kelly Gallery, New York.

d

Studies into the past. Peinture faisant référence au film *Psychokinesis.* Colle animale, résine mastic, huile cuite et pigments sur panneau de chêne, peinture 32,4 × 25,4 cm, encadré 41,9 × 35,6 cm. Collection Miani Johnson.

Cette peinture de la série *Studies into the past* réinterprète la composition du film *Psychokinesis*, dans lequel on voit une roche volcanique s'élever dans le ciel. Dans la peinture, une sphère à pointes de diamant, dessinée par Paolo Uccello (1397-1475), a remplacé la roche dans un paysage du XVe siècle. Cette œuvre permet d'inverser le processus habituel de *Studies into the past* : cette fois, une forme du passé, la sphère de Paolo Uccello, est réutilisée pour son aspect futuriste.

36

Studies into the past. Peinture faisant référence au film *Psychokinesis.* Colle animale, résine mastic, huile cuite et pigments sur panneau de chêne, peinture 34,5 × 26 cm, encadré 42 × 34,5 cm. Collection de l'artiste.

37

On Air, 2009. DVC pro HD, 17 min 30 sec, en boucle. Courtesy Galerie chez Valentin, Paris & Sean Kelly Gallery, New York.

Survolant des lieux inaccessibles et mystérieux, un faucon filme le désert et les paysages lunaires caractéristiques des Émirats arabes unis, transformant la méthode traditionnelle de la chasse et l'histoire mythologique en outils d'espionnage. Comme un écho du drone militaire tournant autour du conflit, la vidéo transforme le faucon en un espion archaïque par l'accrochage d'une petite caméra.

38

On Air, 2009. Vue de l'installation *Nemos et Physis*, Galerie de l'UQAM, Montréal, Canada.

39

Traité de fauconnerie et de vénerie avec la devise et l'emblème du duc de Sforza, enluminure sur parchemin, Ms 368-folio 1, verso, XVe siècle, Musée Condé, Chantilly.

40

41

42

On Air, 2009. DVC pro HD, 17 min 30 sec, en boucle. Courtesy Galerie chez Valentin, Paris & Sean Kelly Gallery, New York.

43

Étienne-Jules Marey, zootrope dans lequel sont disposées dix images en relief d'un goéland dans les attitudes successives d'un vol, tirage sur papier albuminé, 1887. Collection Attilio Codognato.

Physiologiste français, Étienne-Jules Marey (1830-1904) est un scientifique atypique en raison de la particularité de ses recherches et de ses inventions, partagées entre la science et l'art. Fasciné par le mouvement — il a entre autre étudié le mouvement des oiseaux — et les travaux d'Eadweard Muybridge, il est considéré comme l'un des pionniers de la photographie et l'un des précurseurs du cinéma. Cette image d'un zootrope, qui décompose en séquence le vol d'un goéland, a été publiée en 1888 pour illustrer l'article « Le mécanisme du vol des oiseaux éclairé par la chronophotographie », dans la revue scientifique *La Nature*.

44

The Silent Movie, 2010. Film 16 mm sur support Blu-ray, 23 min 27 sec, en boucle. Collection privée.

Réalisé et produit à l'occasion de la 8e édition de la Manifesta de Murcie, en Espagne, *The Silent Movie* jette un regard sur l'architecture militaire de la côte de Carthagène. Les images dévoilent progressivement les installations militaires camouflées dans le paysage. Placée au centre d'une tension entre le visible et l'invisible, le proche et le lointain, la caméra adopte le point de vue de l'attaquant et de l'assiégé. D'une perspective extérieure à une vision intérieure, le site apparaît comme un vaste dispositif de surveillance.

45

The Silent Movie, 2010. Vue de l'installation *Architecture of Fear*, Z33, Hasselt.

46

The Silent Movie, 2010. Image de repérage.

47

The Silent Movie, 2010. Vue de l'installation, *Manifesta 8*, Carthagène.

48

Visibility is a Trap 3, 2010. Tirage baryté warmtone contrecollé sur aluminium, encadrement en merisier vernis, 64 × 73 cm. Courtesy Galerie chez Valentin, Paris & Sean Kelly Gallery, New York.

49

The Silent Movie, 2010. Film 16 mm sur support Blu-ray, 23 min 27 sec, en boucle. Collection privée.

50

The Silent Movie, 2010. Néon, transformateur, tablette en bois, 6 × 56 × 10 cm. Collection privée.

MARIE FRASER

CAPTIONS

1

Detail of the castle of Uraniborg after an etching, in *Epistolarum astronomicarum libri* by Tycho Brahe, 1610.

2

Castle of Uraniborg, main building, in *Atlas Maior* by Joan Blaeu, Amsterdam, 1663.

Uraniborg, or "palace of Urania," which takes its name from the muse of astronomy, was built in 1576 on the island of Ven, between Denmark and Sweden. Financed by King Frederick II, the palace housed the biggest observatory in Europe, where the astronomer Tycho Brahe spent twenty years recording and analyzing the configuration of the stars and movements of the planets. This unique construction is like a giant seeing apparatus, with openings that afford direct observation of the sky. Tycho Brahe ruled the island like a tyrant until the death of Frederick II. He left the site in 1597, following the destruction of his estate by the islanders. Today, hardly anything remains of the castle. The circumstances surrounding Brahe's death in 1601 are mysterious. The astronomer Johannes Kepler is suspected of having poisoned him, and recent scientific analyses found traces of mercury in a sample of his hair, but it is hard to say whether this came from his alchemical laboratory or is evidence of poisoning.

3

4

Uraniborg, 2012. 16 mm film.

The film *Uraniborg* returns to the island of Ven and is like a documentary about something invisible, Tycho Brahe's castle, which no longer exists. Built before the invention of the astronomical telescope, this "castle-observatory" had numerous openings giving onto the sky. A voice-off explores this fault line in the visible and weaves connections between architecture and the notion of the exhibition apparatus.

5

1610 I, 2011. Neon, transformers, approx. 350 × 250 cm. Courtesy Alfonso Artiaco.

1610 reprises a drawing by Galileo from his book *Sidereus Nuncius* ("starry messenger"), published in 1610. This work in neon reinterprets the original drawing of a constellation of stars and establishes a parallel between the time it takes for light from the stars to reach us and the time it took the Church to rehabilitate Galileo after accusing him of heresy.

6

Galileo Galilei, pages from *Sidereus Nuncius*, Venice, 1610.

This etching was published by the Vatican's Pontifical Cultural Council. It is the first scientific work of astronomy founded on observations made with an astronomical telescope. The publication of *Sidereus Nuncius*, in which Galileo maintains that earth revolves around the sun, in 1610, was the cause of the accusations of heresy levelled at him by the Inquisition. It took the Church four centuries to withdraw these.

7

1610 II and Sandro Botticelli (1444–1510), *The Mystic Marriage of Saint Catherine of Alexandria*. View of the exhibition *Portrait of a Young Man*, Bass Museum, Miami, 2011–12.

In the exhibition *Portrait of a Young Man* the constellation of neon stars is presented in relation with *The Mystic Marriage of Saint Catherine of*

Alexandria by Sandro Botticelli, from the Bass Museum collection. The proximity of the two works evokes the very close links between art, science and religion in the Renaissance.

8

The Construction of History, film, 2012.

These three images come from the film of the diplomatic cortege at the funeral of Pope John Paul II at the Vatican, in 2005. They show the theatrical culture and importance of the symbolic effects deployed by the Vatican.

9

In Silentio, fresco, 1582, Sala Vecchia degli Svizzeri, Palazzo Vaticano, Vatican City.

This fresco is located in the Hall of the Swiss Guard at the Vatican and illustrates the culture of silence that reigns there. It is in this hall, which is barred to the public, that the Swiss Guards are taught to maintain their silence.

10

John G. Hagen, S. J. (1847–1930) at the telescope, Specola Vaticana, after 1910.

This photograph shows the Jesuit John G. Hagen in the astronomical observatory at the Vatican (Specola Vaticana) and points to the close link between religion and observation of the sky. Father Hagen is described in a publication of the *Astronomical Society of the Pacific* as one of the most devoted researchers in the quest for truth through the exploration of the sky. He directed the Vatican observatory in the early twentieth century. Specola Vaticana is considered one of the oldest astronomical observatories in the world, going back to the second half of the sixteenth century. Because of the intense light pollution over Rome, the Church's research has now been moved to the United States.

11

Les Oiseaux, 2008. Digital video, colour, sound, 8 min 55 sec, looped. View of the exhibition *French Art Today: Marcel Duchamp Prize*, NMCA, National Museum of Contemporary Art, Seoul, 2011.

Filmed in the sky over the Vatican in Rome, flocks of starling move swiftly in the sky, forming graphic shapes. The birds behave like particles shifting randomly in a magnetic field. Some civilizations interpret flights of starlings as presages.

12

Les Oiseaux, 2008. Digital video, colour, sound, 8 min 55 sec, looped. Collection of Kitty and Tom Stoner, Maryland, courtesy Guggenheim Asher Associates, New York.

13

Studies into the past. Drawing referring to the film *Les Oiseaux*. Ink and watercolor on paper, drawing 21.3 × 27.6 cm, framed 44.3 × 50.5 cm. Courtesy Sean Kelly Gallery, New York.

Studies into the past is the generic title of a conceptual project bringing together drawings and oils on panel with a style and finish inspired by Flemish and Italian painters of the fifteenth and sixteenth centuries. References characteristic of that period are mixed in with elements from the future, with strange, celestial phenomena, such as eclipses, the aurora borealis, meteorites, clouds of birds or smoke and a stone levitating above a landscape. This mixture of past, present and future is designed to produce a false historical memory. This drawing refers to the video *Les Oiseaux*. Its handling and composition recall those of Renaissance drawings and make it tempting to believe that it existed before the video.

14

Halley's Comet in *The Sidereal Messenger*, Carleton College Observatory, Northfield, Minnesota, 1891.

Halley's Comet is no doubt the best known of all comets. It was named in 1758 in honour of the English astronomer Edmond Halley (1656–1742), who was the first person to determine its periodicity. The first documented appearances of this comet in the sky date from 611 BC, when it was mentioned in Chinese texts. Halley had predicted — or calculated — that it would pass close to the Earth in 1758.

15

Studies into the past. Painting referring to the film *1619.* Animal adhesive, mastic resin, boiled oil and pigments on oak panel, painting 25.4 × 31.8 cm, framed 37.5 × 43.8 cm. Collection of Musée d'art contemporain de Montréal.

In the film *1619*, auroras borealis light up the sky over a modern landscape of geodesic domes. Galileo first used the Latin term *aurora borealis* in 1619 to designate the luminous phenomena of polar dawns.

16

View of the exhibition *Portrait of a Young Man*, Bass Museum, Miami, 2011–12.

The title of this exhibition refers to a generic title from the history of art and literature. It is also a Renaissance painting attributed to Francesco Botticini held at the Bass Museum. Laurent Grasso curated a hanging of works from the Renaissance and Late Middle Ages selected from the museum collection, along with paintings from the *Studies into the past* series, videos, neons and sculptures, thereby creating a new set-up. The different elements establish relations with the past, the present and the future, and the exhibition is articulated like a journey into time.

a

Studies into the past. Painting referring to the film *Horn Perspective.* Animal adhesive, mastic resin, boiled oil and pigments on oak panel, painting 27.9 × 34.3 cm, framed 38.1 × 44.5 cm. Collection of Robert Littman.

In the film *Horn Perspective*, a flight of birds disappears into a forest. The slender trees recall the paintings of Sandro Botticelli and Paolo Uccello.

b

Pupil of Guido Reni, *Saint Francis in Ecstasy*, seventeenth-century painting.

c

Work from the *Rétroprojection* series, 2007. Screen printing silver ink on aluminium, chassis flush, 250 × 150 cm. Courtesy Galerie chez Valentin, Paris & Sean Kelly Gallery, New York.

This silkscreen is part of *Rétroprojection*, a series of works made on the basis of historical sources, archives and official documents. The images come from illustrations to scientific books, several of which are taken from Camille Flammarion's *L'Astronomie populaire* (1879). They illustrate celestial phenomena: eclipses, comets, meteorites and constellations.

d

Italian or French School, *Virgin with Child*, fifteenth-century sculpture.

e

Marcellus Coffermans, *The Holy Family with an Angel*, fifteenth-century Flemish painting.

f

Studies into the past. Painting referring to the film *Éclipse.* Animal adhesive, mastic resin, boiled oil and pigments on oak panel, painting 51.5 × 59 cm, framed 67.5 × 74.5 cm. Collection of Dr Diane Vachon.

17

Studies into the past. Painting referring to the film *Psychokinesis.* Animal adhesive, mastic resin, boiled oil and pigments on wood panel, painting 50 × 56 cm, framed 68 × 74 cm. Collection of the artist.

18
19
20

Anechoic Pavilion, 2011. Sipo wood, laminated wood, glass, 300 × 400 × 370 cm. Courtesy Galerie chez Valentin, Paris & Edouard Malingue Gallery, Hong Kong.

This glazed pavilion is a contemporary extension of the camera obscura. Conceived as a vision machine, it offers a space for observing the landscape while withdrawing from the world, one close to the visual experience of cinema. Its anechoic structure allows for aural isolation, which is conducive to acute perception of the scenery. Speakers placed around the inside make it possible to play a soundtrack.

21

Bomarzo, 2011. Super 8 film transferred to DVD, colour, sound, 18 min, looped. Courtesy Galerie chez Valentin, Paris & Sean Kelly Gallery, New York.

Bomarzo was filmed in the gardens at Bomarzo, also known as the "Park of Monsters" (*Parco dei Mostri*), built by Count Vicino Orsini around 1550 in the province of Viterbo, Italy. The complex houses an extravagant sculpture park with figures illustrating mythological themes and characters, several of them inspired by the *Dream of Poliphilus*. The voice-over narrative is a construction combining the quotations engraved on the bases of the sculptures, plaques and sections of wall, documents and studies on Bomarzo and the *Dream of Poliphilus*. The garden was rediscovered in the 1930s by the surrealists. Even today, the park continue to mystify, prompting multiple interpretations.

22

Salvador Dalí in the Bomarzo garden. Frame from the film *Nel mondo del surreal: Salvador Dalí nel "giardino dei mostri."* Cinecittà Luce Archives.

Salvador Dalí is said to be one of the first surrealists to visit the park in the late 1930s. His 1946 work *The Temptation of Saint Anthony* is thought to have been inspired by a number of motifs in the Park of Monsters. Dalí reportedly returned to Bomarzo several times and informed artists of the surrealist movement about it.

23

Bomarzo, 2011. Super 8 film transferred to DVD, color, sound, 18 min, looped. Courtesy Galerie chez Valentin, Paris & Sean Kelly Gallery, New York.

24

Marcel Duchamp in front of a mermaid, photographed by Gianfranco Baruchello.

25

Bomarzo, 2011. Super 8 film transferred to DVD, color, sound, 18 min, looped. Courtesy Galerie chez Valentin, Paris & Sean Kelly Gallery, New York.

The bear is the emblem of Orsini (*Ursinus*).

26

Musée départemental d'art contemporain de Rochechouart, detail of the room called "hunts."

27

Camera obscura, 2008. Drywall, wood, lens, cone 285 × 188 × 88 cm, room 492 × 357 × 250 cm. Musée départemental d'art contemporain de Rochechouart production.

Thanks to the device of the camera obscura the granary of the old fifteenth-century castle was transformed into a huge "landscape machine." This archaic apparatus and forerunner of photography captures the landscape around it and transfers it onto a reverse image inside a dark chamber. This perceptual experience is accompanied by a recording of crows, which are everywhere around the castle.

28

Helioscope in *Selenographia* by Johannes Hevelius, 1647.

29

Camera obscura. View of the exhibition *Neurocinéma*, Musée départemental d'art contemporain de Rochechouart, 2008.

30

Château de Rochechouart, framework of the building occupied by the sub-prefecture office in 1981.

31

View of the exhibition *Neurocinéma*, Musée départemental d'art contemporain de Rochechouart, 2008.

Neurocinéma is the exhibition presented in the granary of the Château de Rochechouart, bringing together a set of works that re-examine various devices used to record or reproduce the world around us: the *Camera obscura*, the *Project 4 Brane*, a version of the window in *Radio Ghost* and the video *Les Oiseaux*. These four "landscape machines" work to divert reality and make it indistinguishable from the actual mechanisms of perception.

32

Horn Antenna, 2010. Copper, aluminium and wood, 69.2 × 37.5 × 34.3 cm. Courtesy Galerie chez Valentin, Paris & Sean Kelly Gallery, New York.

Horn Antenna is a model recreating a nineteenth-century laboratory. More precisely, the work refers to the experiments carried out in 1964 by two American radio-astronomers, Arno A. Penzias and Robert W. Wilson, which led to the discovery of cosmic microwave background radiation, an echo of the Big Bang that created the universe ten billion years ago. The Horn antenna is used to measure the power of the radio waves emitted by the Milky Way.

33

View of the exhibition *Sound Fossil*, Sean Kelly Gallery, New York, 2010.

The exhibition *Sound Fossil* showed the interplay between a contemporary myth and a scientific hypothesis, both concerning the discovery of sounds coming from other space-times. The title refers to the mythology of the sound fossil, the idea that sound vibrations from the past are preserved in objects such as pieces of pottery or stones. As for the scientific discovery, it is the one made accidentally in 1964 by Penzias and Wilson in 1964, that of fossil radiation, an echo of the Big Bang.

34

Horn antenna, Holmdel, New Jersey. Rear view of the Horn antenna and building № 3, in 1988.

35

View of the exhibition *Portrait of a Young Man*, Bass Museum, Miami, 2011–12.

a

Francesco Botticini, *Portrait of a Young Man*, fifteenth century. Collection of Bass Museum, Miami.

Since the Italian Renaissance, the title *Portrait of a Young Man* has been used and reinterpreted by countless writers and artists. It plays a similar role to *Studies into the past* in that it designates an infinite number of possibilities.

b

1619, 2007. Neon, transformer, 8 × 15 × 2 cm. Courtesy Galerie chez Valentin, Paris & Sean Kelly Gallery, New York.

The neon piece *1619* refers to the film with the same title reproducing the colours of an aurora borealis. The title references the year when Galileo first used the Latin term *aurora borealis* to designate this luminous phenomenon.

c

Horn Antenna, 2010. Copper, aluminium, wood and base, 69.2 × 37.5 × 34.3 cm. Courtesy Galerie chez Valentin, Paris & Sean Kelly Gallery, New York.

d

Studies into the past. Painting referring to the film *Psychokinesis.* Animal adhesive, mastic resin, boiled oil and pigments on oak panel, painting 32.4 × 25.4 cm, framed 41.9 × 35.6 cm. Collection of Miani Johnson.

This painting from the *Studies into the past* series reinterprets the composition of the film *Psychokinesis* in which a volcanic rock can be seen rising up into the sky. In the painting a diamond-pointed sphere drawn by Paolo Uccello (1397–1475) has replaced the rock in a fifteenth-century painted landscape. This work reverses the usual process of the *Studies into the past*: this time, a form from the past, Uccello's sphere, is used for its futuristic look.

36

Studies into the past. Painting referring to the film *Psychokinesis.* Animal adhesive, mastic resin, boiled oil and pigments on oak panel, painting 34.5 × 26 cm, framed 42 × 34.5 cm. Collection of the artist.

37

On Air, 2009. DVC pro HD, 17 min 30 sec, looped. Courtesy Galerie chez Valentin, Paris & Sean Kelly Gallery, New York.

Flying over remote, mysterious sites in the United Arab Emirates, a falcon films that country's lunar desert landscapes, fitted with a tiny camera that transforms a traditional form of hunting with strong mythological resonance into an espionage tool or primitive spy evoking a living drone in a conflict zone.

38

On Air, 2009. View of the installation *Nemos et Physis*, Galerie de l'UQAM, Montreal, Canada.

39

Treatise on falconry and hunting with the motto and emblem of the Duke of Milan (Sforza), illumination on parchment, Ms 368-folio 1, verso, fifteenth century. Collection of Musée Condé, Chantilly.

40

41

42

On Air, 2009. DVC pro HD, 17 min 30 sec, looped. Courtesy Galerie chez Valentin, Paris & Sean Kelly Gallery, New York.

43

Étienne-Jules Marey, zootrope containing ten images in relief of a seagull in flight, albumen print, 1887. Collection of Attilio Codognato.

The French physiologist Étienne-Jules Marey (1830–1904) was unusual for his combination of scientific and artist interests. Fascinated by movement (as this piece indicates, he studied the movement of birds, among other subjects) and the work of Eadweard Muybridge, he is seen as one of the pioneers of photography and precursors of cinema. This image of a zootrope, breaking down the flight of a seagull into successive movements, was published in 1888 to illustrate an article on "Le mécanisme du vol des oiseaux éclairé par la chronophotographie" ("The Mechanism of the Flight of Birds Illustrated by Chronophotography") in the scientific journal *La Nature.*

44

The Silent Movie, 2010. 16 mm film transferred to Blu-ray, 23 min 27 sec, looped. Private collection.

Produced for the eighth edition of Manifesta (held in Murcia, Spain), *The Silent Movie* examines the military architecture of the coast around Cartagena. The images gradually reveal the military installations camouflaged in the surrounding landscape. Placed at the centre of a tension between the visible and the invisible, the near and the far, the camera adopts the viewpoints, alternately, of attacker and besieged. From an external perspective to internal vision, the site comes across as one vast surveillance apparatus.

45

The Silent Movie, 2010. View of the installation *Architecture of Fear*, Z33, Hasselt.

46

The Silent Movie, 2010.

47

The Silent Movie, 2010.View of the installation *Manifesta 8*, Carthagène.

48

Visibility is a Trap 3, 2010. Drawing on aluminium, barium warmtone, coaching cherry veneer, 64 × 73 cm. Courtesy Galerie chez Valentin, Paris & Sean Kelly Gallery, New York.

49

The Silent Movie, 2010. 16 mm film transferred to Blu-ray, 23 min 27 sec, looped. Private collection.

50

The Silent Movie, 2010. Neon, wooden shelf, 6 × 56 × 10 cm. Private collection.

LAURENT GRASSO

URANIBORG

PAULETTE GAGNON & MARTA GILI

Directrice du Musée d'art contemporain de Montréal.

Directrice du Jeu de Paume, Paris.

AVANT-PROPOS

Laurent Grasso nous ouvre les interstices de sa pensée en instaurant un rapport de proximité avec l'univers scientifique, la science-fiction et le cinéma : des liens se tissent d'une œuvre à l'autre, s'entrecroisent et interagissent avec l'espace d'exposition, instituant le trouble d'un décalage à travers lequel se projette sa propre définition des choses, nous entraînant dans un sillage intemporel où nous pourrions facilement basculer.

Laurent Grasso explore des phénomènes imperceptibles de la réalité, des lumières invisibles, des sons inaudibles, des ondes impalpables et des champs magnétiques pour ouvrir une voie dans le sens de la flèche du temps, comme une préfiguration de la direction de la pensée qui conduit à notre présent, et comme si le futur pouvait être solidaire du passé. Les œuvres, installation, sculpture et vidéo, si accomplies ou intuitives qu'elles puissent être, restent liées et, surtout, reliées à leur réalisation, qui leur confère *de facto* une aura quasi indéfinissable. Peintures et dessins s'imposent comme une idée où la temporalité omniprésente esquisse un rapport évident entre les spectres du passé et le monde du futur, pour construire un véritable univers poétique. En observant différents phénomènes, Laurent Grasso réinvestit la mémoire de chercheurs et de leurs découvertes, pour nous projeter dans une autre réalité, dans une dimension imaginaire immédiate qui s'ouvre à nous.

Fruit d'une initiative commune, cette présentation des œuvres de Laurent Grasso pose le premier jalon d'une étroite collaboration entre nos deux institutions, le Jeu de Paume et le Musée d'art contemporain de Montréal. C'est avant tout l'occasion de découvrir le travail unique de cet artiste, dont ce sera la première exposition individuelle au Canada. En offrant un regard privilégié sur cet œuvre d'une grande richesse, nous ne doutons pas que l'exposition trouvera, à Paris comme à Montréal, un accueil des plus chaleureux.

Nous désirons exprimer notre vive reconnaissance à Laurent Grasso, dont la générosité et l'enthousiasme se sont unis au travail des équipes de chacune des institutions et ont permis de présenter ce corpus d'œuvres remarquable. Le Jeu de Paume remercie les mécènes ayant apporté leur soutien à ce projet, Neuflize Vie et la Compagnie de Phalsbourg. Le Musée d'art contemporain de Montréal remercie son partenaire principal, Collection Loto-Québec. Nos remerciements vont également à Sean Kelly, de la Sean Kelly Gallery, New York, ainsi qu'à Philippe et Frédérique Valentin de la Galerie chez Valentin, Paris, pour avoir soutenu ce projet.

PAULETTE GAGNON & MARTA GILI

Director of the Musée d'art contemporain de Montréal.

Director of the Jeu de Paume, Paris.

FOREWORD

Laurent Grasso allows us into the interstices of his thinking by instituting a relation of proximity to the worlds of science, science fiction and cinema: links are woven between one work and another, interweaving and interacting with the exhibition space, creating mysterious syncopations through which his own definitions are projected, leading us into a timeless zone which can easily become disorienting.

Grasso explores imperceptible phenomena — invisible light, inaudible sounds, impalpable waves and magnetic fields — opening a path in the wake of time's arrow, like a prefiguration of the mental direction that has led to our present, and as if the future could be one with the past. However accomplished the finished installations, sculptures and videos, they remain connected and, above all, reconnect to their making, which ipso facto gives them an almost indefinable aura. Paintings and drawings come across like ideas in which omnipresent time sketches a manifest relation between the ghosts of the past and the world of the future, thereby constructing a poetic universe. In his observation of phenomena, Grasso delves into the memories of researchers and their discoveries, projecting us into another reality, into an imaginary dimension that opens up to us with real immediacy.

The fruit of a common initiative, this presentation of Grasso's works is the founding act of a close collaboration between our two institutions, the Jeu de Paume and the Musée d'art contemporain de Montréal. Above all, it represents an opportunity to discover the unique work of this artist in what will be his first solo show in Canada. Offering as it does a privileged vision of this very rich body of work, we have no doubt that this exhibition will be very warmly received, both in Paris and in Montreal.

We would like to express our deep gratitude to Laurent Grasso, who so generously and enthusiastically supported the work of the teams at each institution so that this remarkable body of work could be shown. The Jeu de Paume thanks the sponsors who backed the project, Neuflize Vie and la Compagnie de Phalsbourg, while the Musée d'art contemporain de Montréal thanks its global partner, Collection Loto-Québec. We also thank Sean Kelly of the Sean Kelly Gallery, New York, and Philippe and Frédérique Valentin of Galerie chez Valentin in Paris, for supporting this undertaking.

MARTA GILI

ENTRETIEN AVEC LAURENT GRASSO

Toute observation est une manière partielle d'appréhender la réalité. Le travail de Laurent Grasso explore les interstices de cette observation partielle, c'est-à-dire les espaces d'incertitude ou de doute que suscite n'importe quelle conjecture — que ce soit dans le domaine de la science, de l'histoire, de la perception ou de la croyance —, afin de construire des réalités parallèles susceptibles de mettre à l'épreuve notre système de connaissance et notre capacité critique. Il ne s'agit pas pour lui de vérifier la véracité de nos suppositions, mais d'exploiter leurs fractures et leurs tensions pour en faire la matière première de son travail. L'observation, mais aussi le contrôle, la surveillance, le pouvoir ou l'emprise de la science ou de la croyance, ainsi que la réversibilité ou la simultanéité temporelle font partie des champs explorés par Laurent Grasso dans son œuvre. En tendant la relation entre le connu et l'inconnu ou en contractant la distance entre le visible et l'invérifiable, le travail de Laurent Grasso met en évidence l'asymétrie entre *voir* et *être vu*.

MARTA GILI : Il y a dix ans, je t'ai invité au festival du Printemps de Septembre à Toulouse à présenter l'une de tes œuvres, *Du soleil dans les yeux* : une projection vidéo dont la bande sonore est composée de très basses fréquences et dans laquelle défilent, sur une montagne très instable, des messages à caractère scientifique induisant la possibilité de contrôler le cerveau humain grâce à des ondes imperceptibles. Ce qui a provoqué de véritables réactions d'angoisse de la part du public. Tu as réussi à déclencher des automatismes, presque inconscients, face à l'invisible et à la peur de ce que l'on ne connaît pas. D'autres de tes œuvres, comme *Soyez les bienvenus* ou le fameux nuage de *Projection*, ont le même effet. Placer le spectateur aux limites d'une expérience psychologique et physique inquiétante est-il important pour toi ?

LAURENT GRASSO : Mon travail s'est en effet toujours situé aux limites — de la réalité, de la croyance, de la science. J'ai abordé de nombreux champs d'application ou d'étude, mais toujours dans le but d'aller, techniquement, physiquement ou conceptuellement, vers une forme de limite. Elle existe dans *Du soleil dans les yeux*, qui a un impact physique grâce au lien entre un dispositif architectural qui présente un film, le film lui-même et son contenu. Dans cette œuvre, ce lien est renforcé par les messages qu'on lit dans le film et qui décrivent des risques auxquels le spectateur semble lui-même exposé par les fréquences des infra-basses diffusées dans la salle. Je cherche à recréer de micro-situations qui contiennent le pouvoir, la force ou la brutalité de celles auxquelles on est confronté dans le réel.

M. G. : Dans tes installations, tu crées parfois un environnement occasionnant une perte de repères, un déséquilibre ou un trouble. Tu utilises pour cela des dispositifs architecturaux, des effets électriques, sonores, acoustiques, lumineux...

L. G. : Oui, dès le départ, je cherche à produire une expérience. Parce que les véritables expériences sont rares.

M. G. : La réception de ton travail est justement une expérience au cours de laquelle le spectateur doit se placer de l'autre côté du miroir, dans un monde parallèle où les évidences sont trompeuses : un monde habité par la rumeur, les mythes, la superstition, la science-fiction...

L. G. : Je veux jouer sur l'idée du réel, à travers des leurres. Un de mes premiers projets a été une exposition à Paris, en 1999, *Escape*, qui présentait différents films — notamment un projet réalisé au Maroc sur les stratégies d'émigration clandestine — et, de l'autre côté de l'espace de projection, un espace parallèle caché où le spectateur pouvait découvrir un bar où de l'alcool était vendu. Un mur de dix mètres de longueur avait été construit dans la Galerie du Forum Saint-Eustache et un court passage permettait de passer de l'autre côté de l'exposition pour arriver, au bout de ce couloir, dans ce bar clandestin. Cette idée de passer de l'autre côté de l'image, d'accéder à une réalité parallèle a débuté ainsi. Puis, au Crédac, j'ai créé une cabine insonorisée avec une fenêtre à travers laquelle on pouvait voir mon film *Radio Ghost*. Ce film traite du rapport entre l'industrie du cinéma en Chine et la croyance en l'existence de fantômes qui peuvent apparaître sur les tournages ou sur la pellicule. Là aussi la question d'un monde parallèle était matérialisée par un dispositif d'exposition où l'on pouvait passer de l'autre côté du film et accéder à un autre point de vue. Je tente de reconstituer des fragments de réalité ou de créer des objets par des moyens similaires aux dispositifs que je souhaite reconstruire — le cinéma, l'architecture, une certaine période de l'histoire de la peinture —, mais en y insufflant un décalage presque invisible et en ayant plusieurs angles d'approche de l'objet présenté. Je veux aussi multiplier les points de vue de déambulation et d'écoute pour le spectateur, mettre en place une certaine forme de narration, sans exposer les références ni le processus. Il faut qu'il reste quand même une certaine forme de...

M. G. : De secret ?

L. G. : Je parlerais plus d'une tension que d'un secret. Je cherche aussi une forme d'ouverture, voire de liberté, pour le spectateur. Qu'il ait la possibilité d'accéder au processus de création, au concept d'une œuvre ou d'une exposition, mais pas immédiatement.

M. G. : Une grande partie de ton œuvre comprend des films et des vidéos ainsi qu'un dispositif pour les montrer. Tu travailles de plus en plus avec des objets, des néons, des peintures. Pourquoi cette évolution vers d'autres registres que l'image ?

L. G. : Je ne m'intéresse pas forcément au médium lui-même mais plutôt au vecteur de réalité qu'il me donne. Grâce à une peinture, je peux réussir à produire une sensation de voyage dans le temps. Je conçois aussi des objets comme des images. Par exemple, la série *Studies into the past* est faite de sorte que l'on pense voir une peinture du XVIe siècle. C'est un travail sur le temps et sa perception. Des phénomènes montrés dans mes vidéos remplacent les phénomènes religieux habituellement représentés dans l'histoire de la peinture. C'est une façon de reconstruire l'histoire et le passé, en créant une fausse mémoire historique, l'important étant de produire un décalage, un vertige temporel face à un objet qui semble venir d'une autre époque — car il est réalisé d'une manière très historique — tout en rappelant un des phénomènes vus dans mes vidéos. Le néon *1610*, d'après une constellation dessinée par Galilée, traitait du rapport entre le fait que la lumière des étoiles vient du passé et le temps que le Vatican a mis à reconnaître les recherches de Galilée.

M. G. : La perception communément répandue selon laquelle ce sont les instruments d'observation et de surveillance qui exercent le pouvoir, indépendamment de ceux qui les manipulent, est mise en pratique dans ton œuvre, dans laquelle il y a très souvent une tension entre la suspicion et la surveillance. Peux-tu en parler ?

L. G. : Peut-être plus que de surveillance, je voudrais faire référence aux dispositifs de contrôle. Je pense aux écrits de Michel Foucault et de Giorgio Agamben. Dans *The Silent Movie*, on voit aussi qu'une architecture peut avoir un effet sur les consciences. Tout ce qui sert au pouvoir, à des sociétés secrètes, à n'importe quel groupe qui cherche à contrôler nos vies m'intéresse lorsque cela produit une forme et une esthétique — le réseau Echelon (les sphères géodésiques), la base HAARP, que j'ai reproduite au Palais de Tokyo, à Paris, les systèmes de surveillance que j'ai filmés en Espagne. D'autre part, l'observation est liée à la surveillance. Dans l'architecture carcérale pensée par Jeremy Bentham, la tour centrale devait se transformer en chapelle le dimanche, afin de moraliser les criminels. On voit bien comment on glisse de la surveillance à l'architecture et l'effet qu'elle peut exercer, comme l'idée d'un dieu omniscient.

M. G. : De quelle façon *The Silent Movie*, qui évoque un film policier, résonne-t-il aujourd'hui ?

L. G. : Dans *The Silent Movie*, je montre les différentes strates temporelles de dispositifs de surveillance, de pouvoir et de mort, implantés sur la côte espagnole depuis le XVIe siècle. Aujourd'hui, certains sont en activité et d'autres abandonnés ou en ruine. D'autres encore ont été reconvertis en lieu de promenades touristiques — comme Berlin et ses bunkers. J'ai rencontré un colonel de l'armée espagnole qui dirigeait une unité de l'armée pendant la guerre civile et aussi durant le franquisme quand ces bases sont devenues actives. Il fait aujourd'hui partie d'une association qui revendique la conservation et la restauration de ces bâtiments. C'est justement cette confluence de plusieurs narrations sur un même endroit, ou sur un même sujet, qui opère un glissement de sens que j'essaie de réarticuler à partir de différents dispositifs.

M. G. : Ton intérêt pour Galilée et le Vatican est semblable, n'est-ce pas ?

L. G. : Le Vatican est toujours très actif sur les questions scientifiques et artistiques. C'est un endroit unique, un vrai système passionnant à étudier, un État religieux avec un réel dispositif symbolique qui produit des formes et une influence dans le monde entier. J'ai filmé l'enterrement de Jean-Paul II et la foule qui attendait parfois jusqu'à vingt-quatre heures pour voir le corps du pape. Ce moment de l'attente est très étrange, presque païen, et la cérémonie était un déploiement de signes et de symboles, un dispositif d'une force incroyable. L'esthétique du pouvoir est l'une de mes préoccupations, c'est-à-dire comment un dispositif produit une influence sur les consciences et consolide le pouvoir. J'ai suivi de près ces dernières années l'intérêt du Vatican pour l'art et j'ai été invité à une rencontre avec des artistes organisée dans la chapelle Sixtine par Benoît XVI, car le Vatican souhaite participer à la biennale de Venise avec son propre pavillon. Actuellement, je suis en discussion avec les autorités pour filmer l'observatoire du Vatican — c'est de là que proviennent les images de pape et de religieux qui observent l'univers à travers d'énormes lunettes astronomiques. Il m'a semblé que cela pouvait constituer un bon point de départ pour plusieurs œuvres. Il y a une histoire politique du pouvoir et des luttes qui accompagnent ceux qui créent et cherchent de nouvelles représentations du monde, de l'univers, comme Copernic, Kepler, Brahé, Galilée. Et le Vatican s'est confronté, et parfois affronté, à ces scientifiques.

M. G. : Quel rôle occupent les interférences de la foi, des convictions et des croyances, bref, de la pensée magique, dans ton travail ?

L. G. : On peut parler de pensée magique, moi je parlerais plutôt de l'inconscient. Notre regard est formaté par notre environnement. On peut l'appeler magique pour résumer, mais en tout cas cette action existe : quand on voit une œuvre, cette œuvre a un effet réel sur le cerveau et sur la vie de celui qui la regarde. Dans mon projet sur les architectures de surveillance à Carthagène, en Espagne, il n'y a rien de magique, mais j'essaie de montrer que dans l'architecture, dans un bâtiment, il y a une forme de pouvoir, une action sur l'inconscient d'un peuple. L'architecture possède une fonction utilitaire, mais aussi symbolique qui influence notre manière de penser. C'est un principe qui a déjà été analysé par Michel Foucault dans *Surveiller et punir*, mais cela n'est pas réservé aux bâtiments carcéraux. Tous les objets qui nous entourent façonnent notre regard sur le monde. C'est en cela que mon travail compte une part documentaire qui contient des éléments que l'on peut identifier mais qui sont agencés autrement. Et c'est cette part de réel que je tente de reproduire. C'est pour cela que pour faire mes films, les modes de production sont similaires à ceux du cinéma, mais pour un résultat autre. C'est la même chose pour mes projets d'architecture ou pour une peinture primitive flamande.

M. G. : Peux-tu nous parler de la nouvelle pièce que tu veux produire autour de Tycho Brahé, *Uraniborg* ?

L. G. : On m'a parlé du dispositif de Tycho Brahé, le château-observatoire Uraniborg, sur une île autogérée, un territoire entièrement dédié à l'observation du ciel à une époque où la lunette n'avait pas encore été inventée par Galilée. Il y a un lien très fort entre la spécificité de l'architecture du château Uraniborg et le dispositif que j'essaie d'imaginer pour cette exposition. Dans des pièces semi-enterrées, Tycho Brahé observait de jour en jour le déplacement des étoiles, notamment la nouvelle étoile apparue en 1572 (*nova stella*). Plusieurs sens se croisent : l'observation du ciel, un dispositif architectural avec des points de vue sur l'univers, un territoire parallèle et autonome, le pouvoir et la recherche de représentations de l'univers. Tycho Brahé a eu une influence sur le monde politique en Europe et s'est vu offrir l'île de Ven par Frédéric II de Danemark, qui l'en a chassé vingt ans plus tard. Il existe une très belle sculpture de lui, le visage tourné vers le ciel, et mon idée a été de filmer ce visage avec un travelling du ciel vers le sol, et ce qui reste de son observatoire.

M. G. : Quelle est la spécificité du dispositif de l'exposition du Jeu de Paume et du Musée d'art contemporain de Montréal ?

L. G. : Il part d'un constat : beaucoup de mes œuvres entretiennent un rapport avec une réalité autre, parallèle. Un ensemble d'œuvres étudiant l'histoire de certains dispositifs créent des représentations de la réalité avec différentes approches : locale avec *The Silent Movie*, symbolique avec *Bomarzo*, politique avec *On Air*, astronomique avec *Uraniborg*, religieuse avec *Les Oiseaux*. Comme dans d'autres expositions, j'ai voulu créer un dispositif architectural qui génère une tension similaire à ce que j'essaie de produire avec mes films. Il s'agit de matérialiser un dialogue avec une réalité parallèle. J'ai donc conçu deux expositions, avec un envers et un dehors : un couloir vide avec quelques percées, et des passages vers un autre côté plus labyrinthique qui mène vers les salles où sont montrés les films et d'autres œuvres. Certains d'entre eux peuvent opérer de microdécalages afin de susciter des doutes, de jouer avec les mécanismes de la paranoïa, de l'ambiguïté, de la croyance, de la rationalité, de la fiction ou de la vérité. Créer des représentations en permanence, c'est une manière de s'approprier le réel et, en quelque sorte, de se protéger de lui.

MARTA GILI

A CONVERSATION WITH LAURENT GRASSO

All observation is a partial way of apprehending reality. The work of Laurent Grasso explores the interstices of this partial observation, that is, the spaces of uncertainty or doubt aroused by any conjecture, whether in the field of science, history, perception or belief, in order to construct parallel realities capable of testing our system of knowledge and our critical capacity. For him, the point is not to test the truth of our suppositions, but to exploit their fractures and tensions, and make them the raw material of his work. Observation, but also control, surveillance, the power or domination of science or belief, as well as the simultaneity or reversibility of time, are among the fields he explores. By extending the relation between the known and the unknown, or contracting the distance between the visible and the unverifiable, Grasso reveals the asymmetry between *seeing* and *being seen.*

MARTA GILI : Ten years ago I invited you to present one of your works at the Printemps de Septembre festival in Toulouse, *Du soleil dans les yeux*. It's a video projection with a soundtrack consisting of very low frequencies, and in which scientific messages regarding the possibility of controlling the human brain by means of imperceptible waves crawl past against the flickering background of a mountain. It provoked real anxiety among visitors. You managed to trigger almost unconscious reflexes, provoked by the invisible and the fear of the unknown. Other works, such as *Soyez les bienvenus* and the famous cloud of *Projection*, have had the same effect. Is putting the viewer on the verge of disturbing psychological and physical experiences something important for you?

LAURENT GRASSO : My work has always been positioned at the limits — of reality, of belief, of science. I have explored many different areas of practical application of study, but always with a view to moving, technically, physically or conceptually, towards a kind of limit. This exists in *Du soleil dans les yeux*, which has a physical impact thanks to the link between the architectural device presenting the film, the film itself and the film's content. In this work, the link is strengthened by the messages we read in the film describing the risks to which viewers seem exposed by the infra-bass frequencies played in the room. I try to create micro-situations that contain the power, the force or the brutality of the ones we are faced with in real life.

M. G. : In your installations, you sometimes create an environment causing a loss of bearings, disequilibrium or confusion. To achieve this, you use architectural devices, and electrical, aural, acoustic and light effects.

L. G. : Yes, right from the outset, I try to produce an experience. Because true experiences are rare.

M. G. : Yes, receiving your work is an experience in which viewers have to position themselves on the other side of the mirror, in a parallel world where appearances are deceptive: a world inhabited by rumour, myth, superstition and science fiction.

L. G. : I want to play on the idea of the real by using deception. One of my first projects was an exhibition in Paris in 1999, *Escape*, featuring a variety of films — notably a project carried out in Morocco on the strategies used in unauthorized emigration — and, on the other side of the projection space, a hidden parallel space where viewers could find where a bar where alcoholic beverages were sold. A 10-metre-long wall had been built in the Galerie du Forum Saint-Eustache and there was a short passage leading to the other side of the exhibition and, at the end of the corridor, this secret bar. This idea of passing through the image, of acceding to a parallel reality, began in this way. Then I created at the Crédac a soundproofed cabin with a window through which you could see my film *Radio Ghost*. This film is about the relation between the film industry in China and the belief in ghosts that might appear on shoots or on the film. There, too, the question of a parallel world was materialized by an exhibition set-up in which you could go through to the other side of the film and reach another point of view. I try to reconstitute fragments of reality or create objects using means that are similar to the apparatus that I wish to reconstruct — cinema, architecture, a certain period in the history of painting — but by inserting an almost invisible discrepancy, and with several angles of approach to the object presented. I also want to create lots of different positions for seeing and hearing as the viewer moves around, to put in place a certain form of narration, without exhibiting the references or processes. There still has to be a certain kind of . . .

M. G. : Secrecy?

L. G. : I would say tension more than secrecy. I also look for a certain form of openness, or even freedom, for the viewer. I want them to have access to the creative process, to the concept of a work or exhibition, but not in an immediate way.

M. G. : Films and videos, together with the apparatus for showing them, feature in a good part of your work. Increasingly, now, you are working with objects, fluorescent lights and paintings.

Can you explain this move towards registers other than the image?

L. G. : I don't necessarily take an interest in the medium itself but in the vector of reality that it provides. Thanks to painting I can produce a sensation of travelling in time. I also conceive objects as images. For example, the *Studies into the past* series is made in such a way that you think you're looking at painting from the sixteenth century. It's a piece of work about time and its perception. The phenomena present in my videos replace the religious phenomena usually present in the history of painting. It's a way of reconstructing history and the past by creating a false historical memory, the important thing being to produce a discrepancy, a temporal disorientation when faced with an object that seems to come from another period — because it is made in a very historical way — while recalling one of the phenomena seen in my videos. Inspired by Galileo, the neon *1610* was about the relation between the fact that the light of the stars comes from the past and the time it took for the Vatican to recognize Galileo's research.

M. G. : The commonly held perception according to which it is the instruments of observation and surveillance that wield power, independently of those who manipulate them, is put into practice in your work, in which there is very often a tension between suspicion and surveillance. Can you say something about that?

L. G. : More than surveillance devices, perhaps, I mean to refer to the apparatus of control. I'm thinking of the writings of Michel Foucault and Giorgio Agamben. In *The Silent Movie*, one can also see how architecture can have an effect on consciousness. Everything that serves power, secret societies or any other group that tries to control our lives is of interest to me, providing it produces a form and an aesthetic — the Echelon network (geodesic spheres), the HAARP base, which I reproduced at the Palais de Tokyo in Paris, the surveillance systems that I filmed in Spain. Also, observation is linked to surveillance. In the prison architecture conceived by Jeremy Bentham, the central tower was to be transformed into a chapel on Sunday for the moral edification of the criminals. You can see how we slip from surveillance to architecture and the effect that it can have, like the idea of an omniscient god.

M. G. : What resonance does *The Silent Movie*, which evokes a thriller, have today?

L. G. : In *The Silent Movie*, I show the various temporal strata of apparatus for surveillance, power and death situated on the Spanish coast since the sixteenth century. Today, some of them are still active and some lie abandoned and in ruins. Yet others have been converted into tourist attractions — like Berlin and its bunkers. I met a colonel in the Spanish army who led an army unit during the civil war, and also during the Franco period, when these bases became active. He now belongs to an association campaigning for the conservation and restoration of these buildings. It is precisely this confluence of several narratives in the same place, or on the same subject, which effects a shift in meaning that I try to articulate by means of different devices.

M. G. : Your interest in Galileo and the Vatican is similar, isn't it?

L. G. : The Vatican is still very active on scientific and artistic questions. It's a unique place, a real system that's fascinating to study, a religious state with a real symbolic apparatus that produces forms and influence around the world. I filmed the burial of John Paul II and the crowds waiting in some cases as much as twenty-four hours to see the pope's body. This moment of waiting is very strange, almost pagan, and the ceremony was a deployment of signs and symbols, an incredibly powerful apparatus. The aesthetic of power is one of the concerns in my work, by which I mean how does an apparatus produce influence on consciousnesses and consolidate power. In recent years I closely followed the Vatican's interest in art, and I was invited to a meeting with artists organized in the Sistine Chapel by Benedict XVI, because the Vatican wants to take part in the Venice Biennale with its own pavilion. At the moment I'm in talks with the authorities about filming the Vatican observatory — that's where the images of popes and monks observing the universe through huge astronomical telescopes come from. It occurred to me that this might make a good starting point for several works. There is a political history of power and of the struggles that accompany those who create and seek out new representations of the world and the universe, like Copernicus, Kepler, Brahe and Galileo. And the Vatican confronted and sometimes fought these scientists.

M. G. : What role does the overlapping of faith, convictions and belief — in a word, magical thinking — have in your work?

L. G. : Well, you could call it magical thinking, but personally I'd rather talk about the unconscious. Our vision is formatted by our environment.

You could call it magical to sum it up, but in any case this action exists: when you see an artwork, it has a real effect on the brain and on the life of the person looking at it. In my project on the surveillance structures in Cartagena, Spain, there is nothing magical, but I do try to show that in architecture, in a building, there is a form of power, an action on a people's unconscious. Architecture has a utilitarian function, but also a symbolic one that influences the way we think. It's a principle that has already been analyzed by Michel Foucault in *Discipline and Punish*, but it's not limited to prison buildings. All the objects around us shape the way we look at the world. It is in this sense that my work has a documentary aspect which contains elements that we can identify but that are configured differently. That's the part of the real that my work tries to reproduce. That's why, when I make my films, the means of production are similar to those of cinema but the result is different. It's the same with my architecture projects or for a Flemish primitive painting.

M. G. : Can you tell us about the new piece that you plan to make about Tycho Brahe, *Uraniborg*?

L. G. : Someone told me about Tycho Brahe's apparatus, the castle-observatory at Uraniborg, on a self-managed island, at a time before Galileo invented the telescope. There is a very strong link between the specificity of the architecture of the castle at Uraniborg and the device that I have tried to devise for the exhibition. Every day, in his half-buried rooms, Tycho Brahe observed the movements of the stars, notably a new star that appeared in 1572 (*nova stella*). Several directions come together here: observation of the sky, an architectural device with views of the universe, a parallel, autonomous territory, power and the search for representations of the universe. Brahe had an influence on European politics and was offered the island of Ven by Frederick II of Denmark, who had expelled him from it twenty years earlier. There is a very fine sculpture of Brahe, looking up at the sky, and I had the idea of filming this face in a travelling shot going from the sky towards the ground, and what remains of his observatory.

M. G. : What is the specificity of the exhibition set-up at the Jeu de Paume and at the Musée d'art contemporain de Montréal?

L. G. : It begins with the realization that many of my works relate to another, parallel reality. There is a group of works that study the history of certain devices, which create representations of reality using a variety of approaches — local in *The Silent Movie*, symbolic in *Bomarzo*, political with *On Air*, astronomical with *Uraniborg*, religious with *Les Oiseaux*. As in other exhibitions, I wanted to create an architectural set-up that would generate the same kind of tension as I try to produce with my films. The aim is to materialize a dialogue with a parallel reality. I therefore conceived two exhibitions, with an inside and an outside: an empty corridor with a few openings, and passages towards another, more labyrinthine side leading towards rooms where films and other works are shown. Some of them can create micro-discrepancies in order to stir doubts, to play with the mechanisms of paranoia, ambiguity, belief, rationality, fiction and truth. To keep creating representations is a way of appropriating the real and, in a way, protecting oneself from it.

HÉLÈNE MEISEL

AIRTIME

Traduit littéralement, *airtime* pourrait évoquer l'union improbable de dimensions parfaitement abstraites et impalpables — l'air et le temps — réunies pour former un hypothétique fuseau horaire, plus atmosphérique que terrestre. *Airtime* peut d'ailleurs décrire l'apesanteur ressentie par les passagers de montagnes russes, que la vitesse et l'inertie propulsent hors de leur siège. Mais dans l'usage courant, le terme échappe à la fiction cosmique comme aux plaisirs forains : rattaché au domaine de la radiophonie et de la télévision, *airtime* désigne en fait le temps d'antenne. Déclinée en plusieurs variantes — *to be on the air* (« être à l'antenne »), *to air* (« diffuser »), *aerial* (« antenne ») —, la métaphore figure l'onde vibrant dans l'air, alliance technologique et élémentaire d'une magique invisibilité. L'œuvre de Laurent Grasso, développé depuis le début des années 2000, participe en un sens de cette logique *airtime*, intégrant aussi bien les portées médiatiques et médiumniques de différents outils de télécommunication que les dimensions atmosphériques, aérospatiales ou célestes de l'information. La volatilisation de cette dernière, pressentie à l'arrivée du télégraphe, de la radio ou du téléphone au XIXe siècle, se voit décuplée après la Seconde Guerre mondiale avec l'apparition de dispositifs numériques et satellitaires. Ces nouveaux systèmes d'information ne seront pas sans conséquence sur les stratégies de dématérialisation et de médiatisation entreprises par certains artistes à la fin des années 1960.

Dans un article de 1969, Robert Smithson tirait les conclusions d'une collaboration entamée deux ans plus tôt avec les architectes chargés du nouvel aéroport Dallas-Fort Worth. À cette époque d'intensification du transport aérien, les aéroports mutent en mégastructures modulaires desservies par des autoroutes, formant un maillage géométrique semblable au modèle cristallin cher à cet artiste. Smithson constate que « le nouveau paysage de l'abstraction et de l'artifice se substitue à l'ancien paysage du naturalisme et du réalisme » [1] et intègre l'éventualité que ses projets, visibles seulement au décollage et à l'atterrissage, puissent aussi échapper à toute perception du fait de l'augmentation de la vitesse et de l'altitude des vols [2]. Germe alors sa fameuse dialectique site/non-site, vision/non-vision (*sight/non-sight*). Cette « visibilité marquée par une turbidité [3] à la fois mentale et atmosphérique » [4] caractérisera l'*Aerial Art* défini par l'artiste. Constatant que « la photographie et les transports aériens révèlent les caractéristiques de surface d'un monde aux perspectives variables » [5], Smithson s'inscrit alors dans une histoire de la vision verticale qui n'est pas nouvelle. Mais de la photographie aérostatique prise par Nadar en 1858 au panorama filmé d'un ballon captif par les frères Lumière à la fin du XIXe siècle, ce qui s'accentue à l'époque de Smithson, c'est l'accélération du mouvement *de* et *dans* l'image [6], cette dynamique susceptible de faire basculer le paysage de l'abstraction à l'invisibilité.

La spirale de pavements triangulaires qu'il propose pour l'aéroport allait préfigurer sa *Spiral Jetty*, dont la photogénie semblait devoir compenser l'inaccessibilité relative. Peu après avoir semé son colimaçon de basalte dans le Grand Lac Salé, l'artiste embarque une caméra 16 mm à bord d'un hélicoptère. Du film qui résulte de ces prises de vues, il revendique une symbiose structurelle entre l'enroulement de la pellicule, la rotation des hélices et le vortex de la jetée, concédant néanmoins que « la disjonction opérant entre la réalité et le film conduit à un sens de la rupture cosmique », à un « vertige lucide » [7]. Voici comment le Land Art aurait généré une phénoménologie paradoxale, conciliant à l'expérience directe du terrain son report médiatique. Déterritorialisée [8] par sa médiatisation, l'œuvre se voyait confrontée à une perte du site, qualifiée de post-moderne [9]. C'est dans cette latence médiatique que se situent de nombreux films de Laurent Grasso, survolant des parages et des phénomènes dont la réalité demeure incertaine.

Souvent, chez l'artiste, la caméra adopte la perspective aérienne : le point de vue est celui de la distance et de l'élévation, de l'avion ou de l'hélicoptère, parfois même du faucon. La synchronisation de la monture et de l'objectif avait déjà été notée à propos du chemin de fer et du chariot de travelling, décrits par Arnauld Pierre comme de nouvelles « machines de vision transformant le paysage en panorama ou en spectacle de lanterne magique » [10]. Mais, dans l'œuvre de Grasso, le travelling — récurrent — s'émancipe souvent du rail rectiligne pour accéder à une locomotion plus aérienne. Qu'elle soit ferroviaire ou aéronautique, la fusion des deux machines minimise systématiquement la présence de l'opérateur. La neutralité supposée du point de vue s'inscrit d'ailleurs dans une histoire plus proprement documentaire que cinématographique, le film aérien ayant d'abord servi le renseignement militaire, l'établissement cartographique et la prospection archéologique ; l'espionnage, la reconnaissance et la fouille visant, par le ciel, la détection de données sinon invisibles.

Dans *Radio Ghost* (2003), lorsque Laurent Grasso filme Hong Kong à basse altitude, survolant docks, autoroutes et gratte-ciel, on hésite entre la patrouille policière et la veille du trafic... Le film de 32 minutes, bouclé sur lui-même, enchaîne divers travellings aériens par des fondus colorés. L'angle de prise de vue joue avec les reliefs et les volumes, plus ou moins écrasés selon l'obliquité de la caméra. L'absence de ligne d'horizon accroît la désorientation spatiale. Un bâtiment énigmatique, exilé en pleine montagne, se distingue des équipements plus familiers. Sphère géodésique à la Buckminster Fuller, le globe à facettes triangulaires se révèle être un radôme, un dôme abritant un radar pivotant. Dédié à la surveillance aérienne, il émet et reçoit des ondes électromagnétiques pour déterminer la position, l'altitude et la vitesse des avions, pour guider leur approche et veiller à l'état du trafic aérien. La sphère, apparemment inactive, a donc dû détecter l'approche de l'hélicoptère au moment du tournage, captant ses déplacements selon la logique toute réflexive de l'épieur épié. En effet, malgré l'hermétisme et l'immobilité de sa coque blanche, le radôme est un instrument aux aguets, informant sans cesse divers secteurs de l'aéronautique, la météorologie, l'astronomie, les télécommunications, le renseignement ou la surveillance militaire. En 2007, Grasso réalise quatre œuvres hantées par l'impénétrable structure : *525* et *320*, deux sculptures intitulées selon le nombre de leurs facettes, donnent du radôme géodésique une version réduite et lumineuse ; dans le film *1619* [11], la sphère plantée dans un paysage polaire échange un étrange dialogue électromagnétique avec l'aurore boréale qui le surplombe ; enfin, la maquette *Echelon* modélise sous une cloche d'Altuglas noir l'éclosion de bulles blanches sur l'une des stations d'interception du réseau éponyme. Système mondial d'interception des communications privées et publiques, Echelon est organisé en de multiples bases d'écoute que relaient des satellites artificiels. Il fonctionne comme un grand piège interceptant et stockant les ondes de toutes les télécommunications transitant par voie aérienne.

On appelle spectre « la répartition de l'intensité d'une onde (acoustique, électromagnétique), d'un faisceau de particules, en fonction de la fréquence, de l'énergie ». Il existe au sein des Nations Unies un organe chargé de répartir entre les pays les bandes de fréquence du spectre radioélectrique (intervalle limité de 9 kHz à 400 GHz), de veiller à la mise en orbite des satellites géostationnaires et de lutter contre les brouillages préjudiciables. Soucieux d'une « connectivité sans fil et à haut débit », le Bureau des radiocommunications [12] rationalise le spectre comme une ressource naturelle limitée, dont l'exploitation dépasse la téléphonie, la télévision et la navigation par satellite. Les télécommunications d'urgence, la surveillance et la prévision des changements climatiques, vantées comme des applications d'avenir, pourraient masquer d'autres usages moins avouables. À cette normalisation du spectre, instrumentalisé au profit d'une saturation maximale, s'oppose dans le champ de la radioastronomie la persistance ténue d'un signal primordial. Le « fond diffus cosmologique » ou « rayonnement fossile micro-ondes » est la persistance du rayonnement électromagnétique dégagé lors de l'expansion de l'univers, autrement dit, lors du Big Bang. Ce fossile sonore a été perçu en 1964 par l'antenne Horn d'Arno A. Penzias et Robert W. Wilson, corne gigantesque munie d'un guide d'ondes et d'une cabine d'écoute, que Laurent Grasso a reproduite à différentes échelles. Immémoriale, la fréquence hanterait l'univers depuis plus d'une douzaine de milliards d'années, rejoignant dans cette persistance, à la fois inconcevable et imperceptible, les dimensions du spectre les plus fantomatiques [13]. Une rumeur — souvent démentie — prétend même qu'un infime pourcentage de la neige télévisuelle serait dû à la réception de ce « bruit de fond ».

Les voix-off qui accompagnent *Radio Ghost* témoignent justement de manifestations spectrales perçues par des employés de la radio ou du cinéma. La précision professionnelle pourrait sous-entendre que le contact avec des machines d'enregistrement électronique expose plus particulièrement à la transcommunication instrumentale. Dès lors, la lévitation de la caméra évoque aussi l'errance d'esprits revenants. Les transitions des fondus colorés rappellent du reste les fluorescences qui coiffent d'auras postiches certains portraits de photographie spirite. Mais, au-delà de cette allusion paranormale, les nappes acidulées pourraient aussi tenter de conditionner notre réceptivité sur le mode d'une chromatothérapie subliminale. De même, les deux studios d'enregistrement radiophonique réalisés par Laurent Grasso en 2005 et en 2006 sont inondés de variations lumineuses et colorées, dont l'enchantement chromatique pourrait déguiser l'influence sédative (*Radio Color Studio*).

Si la prise volante de *Radio Ghost* suggère donc la chasse aux esprits autant que la menace fantôme, il se pourrait aussi que la vision aérienne signale le flottement d'une indécision. Dans *Du soleil dans les yeux* (2001-2002), des monts alpins servent de fond d'écran à une bande défilante, communiquant à la manière d'un prompteur télévisuel des considérations sur l'électromagnétisme. En arrière-plan, la vue instable sur les Alpes oscille légèrement, comme le ferait un simulateur de vol en attente de prise de commande. Projetée en boucle, la vidéo serait en mode pilotage automatique, ruminant sans cesse des rumeurs sur les effets physiques et métaphysiques des fréquences radioélectriques : « On sait que pour gagner un conflit il faut rendre l'ennemi sourd et aveugle. [...] On peut affirmer que l'on sait maintenant saturer l'activité cérébrale des troupes au sol par ces signaux électroniques. [...] Les systèmes de brouillage radar illuminent la source de façon à l'aveugler totalement. » Le défilement ininterrompu des dépêches presse la lecture et noie la compréhension. Diffusées sur le mode de l'urgence médiatique, ces bribes pseudo-scientifiques communiquent des stratégies d'emprise territoriale et de sujétion cérébrale, en même temps qu'elles obligent le spectateur à une lecture contrainte. Les mots parfois s'évanouissent. Il arrive aussi que l'image s'assombrisse graduellement, comme sous l'effet de paupières lourdes. *Du soleil dans les yeux* aurait-il un effet soporifique ? Mélange de subjugation publicitaire et de perfusion subliminale, il se pourrait que l'œuvre, sous des apparences d'inoffensive transparence, soit en réalité l'outil d'hypnose dont elle nous parle. Sans afficher de position critique, Grasso pense la duplicité d'un média partagé entre transmission et opacification.

Il ne faut donc pas se fier au titre séduisant *Du soleil dans les yeux*, dont l'éblouissement préfigure l'aveuglement [14]. Quelques années plus tard, en 2006, l'artiste plonge dans une obscurité quasi totale l'actrice Carole Bouquet. Debout et figée comme dans un état de conscience modifié, la comédienne se laisse ausculter par une caméra *motion control*, c'est-à-dire régie par un dispositif informatique permettant d'en programmer les mouvements avec précision. La machine supplante à nouveau l'opérateur pour entreprendre autour de l'actrice une navigation entreprenante, mêlée d'avances et de contournements. Flottante, la caméra paraît réagir au réel de manière autonome, alternant le flou de « mises en orbite » et la netteté d'explorations plus épidermiques. La comédienne est ainsi cartographiée sur le mode de l'exploration lunaire. Vide et sombre, le plateau de tournage semble en effet baigner dans un *vacuum* sidéral, comparable dans son dispositif à un système planétaire ayant les projecteurs pour étoiles et la caméra pour satellite. Malgré son axialité, la comédienne n'est donc pas le sujet de l'œuvre, dont le titre — *Satellite* — recadre toute l'attention sur la caméra. Enfin, la résonance qui accompagne le film évoque le murmure d'une navette spatiale. À moins qu'il ne s'agisse du signal même de la caméra ou du microphone.

C'est sur ce même grésillement que Neil Armstrong prononça sa célèbre allocution lors de l'alunissage d'Apollo 11, le 21 juillet 1969. La couverture médiatique des premiers pas sur la lune fut spectaculaire : les images tournées en slow-scan [15], réceptionnées et reconverties pour la télévision par des centres de communication spatiale longue distance [16], furent retransmises en direct et en mondovision [17]. Quelques spectateurs sceptiques, notant des anomalies dans les ombres portées ou dans le flottement du drapeau américain, dénoncèrent cependant une supercherie jouée en studio. Dès 1966 pourtant, des images de la terre prises par satellite attestaient les progrès de la conquête spatiale. En 1970, Gerry Schum — réalisateur de « l'exposition télévisée » *Land Art* (1969) — notait que la perception du monde avait acquis de nouvelles dimensions depuis que « grâce aux satellites, il [était] devenu possible de percevoir la terre d'un point de vue extra-terrestre » [18]. Depuis le début des années 1970, les satellites de reconnaissance photographique Big Bird furent équipés de deux systèmes de prises de vue : le *search and find* pour des vues vastes, peu détaillées, et le *close look* pour une précision allant jusqu'à saisir des silhouettes isolées [19]. Cette double focale fut longtemps un privilège militaire, la société civile n'ayant accès qu'à des vues globales de la terre, ce qui pourrait expliquer d'une part l'incrédulité quant aux vues rapprochées, d'autre part la suspicion d'une emprise extra-terrestre. Cette paranoïa, à la fois scientifique, militaire et médiatique, a souvent été soulignée dans le travail de Laurent Grasso, notamment à travers une filiation électromagnétique allant des inventions de Nikola Tesla aux antennes plantées sur le site militaire du programme HAARP (High Frequency Active Auroral Research Program) en Alaska.

Dans *Tout est possible* (2002), un homme rumine ses craintes concernant l'emprise de « forces auxiliaires ». Furtive une fois de plus, la caméra bourdonne au-dessus du sujet, qui déambule dans la rue. Suspendue dans un vol heurté, elle semble téléguidée pour pratiquer l'intrusion mentale, détectant dans les pensées du passant poursuivi un monologue paranoïaque dans lequel surnage une réflexion notable : « Normalement un média doit être neutre. » Si la garde rapprochée peut évoquer les filatures entreprises par Vito Acconci à la fin des années 1960 dans les rues et musées new-yorkais [20], elle s'éloigne de la neutralité de l'artiste qui souhaitait agir en simple « récepteur de l'activité de quelqu'un d'autre » [21]. Car, la caméra, comme avertie par une mise sur écoute ciblée, aurait détecté des soupçons justement médiatiques. De même, l'incrédulité suscitée par l'épisode d'Apollo 11 révèle plusieurs symptômes qui recoupent les préoccupations de Laurent Grasso, telles que l'incapacité à saisir la réalité d'un événement, peut-être imputable à la dématérialisation de l'information qui le médiatise.

Sans céder au goût actuel pour les technologies obsolètes et les parafictions afférentes, il faudrait analyser les caractéristiques mêmes du médium fétiche de l'artiste : l'image en mouvement. Laurent Grasso n'a pas de format de prédilection, utilisant aussi bien la pellicule et la vidéo que l'animation numérique. Éclectique, il pratique aussi la conversion des formats et le transfert des supports, reportant sur Blu-ray ou DVD des films 35 ou 16 mm. Le mode de visionnage varie également : du téléviseur Doney de Brionvega, arrondi comme une bulle, à l'orthogonalité incisive du module de projection *Project 4 Brane*, qu'il conçoit en 2007, Laurent Grasso fait coexister des générations technologiques qui s'étaient jusqu'alors succédé, croisant avec subtilité des patines anachroniques. L'image animée serait sujette à une nouvelle forme d'entropie transmise, à divers degrés de compression, de la pellicule à la bande magnétique, au fichier informatique... Et, si l'ère digitale semble avoir cristallisé l'image en code numérique, elle demeure convertible à l'infini grâce aux opérations de transcodage qui en renouvelle sans cesse la visualisation. Déjà en 1985, Mario Borillo parlait à ce sujet d'un « dématérialisme dialectique » : « D'une part, transfert vers l'abstraction des systèmes de représentation pour constituer des ‹ données ›, qui ne pourront être soumises à des opérations intellectuelles que pour autant — deuxième mouvement — qu'elles aient subi une matérialisation électronique. » [22] L'image digitale, n'étant que la copie visible de données intouchables, signalerait alors le retour de l'invisible [23]. De même, les phénomènes imperceptibles que traque Laurent Grasso dans ses films feraient allusion à l'invisibilité des données qui les génèrent et les enregistrent.

À la fin des années 1960, la volatilisation de l'information coïncide dans le champ esthétique au processus de dématérialisation que Lucy Lippard et John Chandler perçoivent dans l'art conceptuel. Selon les deux critiques, l'idée ou l'action de l'œuvre l'emporteraient sur la formalisation. Mais à cause d'une équivocité à la fois stimulante et dissipatrice, la dématérialisation devient un concept-valise englobant aussi bien l'élimination « d'éléments visuels et physiques » qu'un « aspect plus littéraire » [24]. Elle peut servir une critique du marché ou de l'institution, notamment par l'annulation, l'exil ou la fermeture d'une exposition. Elle peut aussi exprimer le refus de techniques obsolètes. Mais, d'un point de vue plus phénoménologique, elle peut encore désigner la privation radicale de matérialité (l'immatérialité), l'atomisation de la matière (sa désintégration) ou l'affirmation de son dépassement absolu (la sublimation). Les corollaires respectifs de ces trois processus — le vide, l'énergie et l'esprit — ont donné cours à des orientations jugées trop ésotériques par les puristes conceptuels [25]. Entendue comme métaphore romantique, la dématérialisation leur semblait favorable au retour de la fiction ou de l'élégie naturaliste, notamment à travers des démonstrations entropiques. Fort nombreuses sont les œuvres qui observent alors la formation de nuées inconsistantes (vapeur d'eau chez Robert Morris ou Hans Haacke, nuages chez Alice Aycock ou Peter Hutchinson) ou invisibles (gaz inertes ou zones de radioactivité chez Robert Barry). Mais, plus que d'atmosphères naturalistes ou d'éthers symbolistes, il est question de dimensions nouvelles, traversées d'ondes inconnues. Alors qu'il exposait des ondes électromagnétiques, des ultrasons et des radiations dans une galerie new-yorkaise, Robert Barry déclarait : « Je suis certain qu'il y a de nombreuses choses que nous ne connaissons pas encore, qui existent dans l'espace autour de nous, et, dont nous savons qu'elles sont là sans même pouvoir les voir ou les sentir. » [26] Décrit par Michel Gauthier comme un tenant *dark side* de l'art conceptuel, Barry, sous le couvert d'une dématérialisation obscure, télépathique ou inconsciente, rompt avec la rationalisation désenchanteresse du concept, obsédé par la juste définition et la mesure exacte. L'artiste préfère le mouvement infini de l'idée, qu'il illustre par le rebond perpétuel des ondes dans l'atmosphère [27]. Sans doute est-ce dans ce conceptualisme *airtime* qu'il faut puiser certaines racines du travail de Laurent Grasso, notamment dans les œuvres où l'invisibilité déroute l'expérience en même temps qu'elle stimule une spéculation illimitée.

La nuée, phénomène amorphe passible d'infinies projections mentales, traverse également l'œuvre de Grasso selon une plasticité qui l'éloigne du simple nuage. La vidéo *Les Oiseaux* (2008) montre dans le ciel de Rome le vol groupé de colonies d'étourneaux, dont les circonvolutions fluides et imprévisibles oscillent comme des démonstrations d'animation 3D. La vidéo est pourtant sans trucage. En revanche, le lourd nuage qui dévale une rue parisienne dans *Projection* (2003-2005), le pollen électrostatique qui embrume l'air de Berlin dans *Polair* (2007), l'aurore boréale qui irise une nuit polaire dans *1619* (2007) ou le brouillard optique de *Time Dust* (2008), qui échauffe l'atmosphère d'un observatoire astronomique du Nouveau-Mexique, sont des animations virtuelles. Informes, imprévisibles et énigmatiques, ces phénomènes atmosphériques sont des simulacres. Leur ancrage dans des environnements identifiables leur confère certes une dose de réel. Mais, données comme des œuvres sans ambiguïté documentaire, ces vidéos interrogent moins la véracité ou l'illusionnisme des images qu'elles ne reflètent des prédispositions à la projection ou à l'occultation. La nébulosité « fait écran » autant dans le sens où elle se prête à l'interprétation que dans celui où elle masque un arrière-plan. Fascinants d'inconsistance, les nuages deviennent alors les génériques mêmes de l'image : des *Équivalents* chez Alfred Stieglitz, qui en réalise dans les années 1930 une série de deux cents clichés. Chez Grasso cependant, la nébulosité est animée et ses mouvements — elliptiques, erratiques ou menaçants — semblent vouloir contaminer l'espace d'une expansion infinie. Reste à savoir s'il s'agit d'un espace physique, filmique ou mental. Un néon mural relance l'ambiguïté : construit comme un rébus à deux termes, il superpose le contour d'un nuage rebondi au mot « projection », dont la polysémie suggère aussi bien la diffusion cinématographique que la transposition mentale (*Projection*). Étrange enseigne célébrant le film éponyme, le nuage serait donc également l'image d'un cerveau poreux, prêt à s'imprégner autant qu'à réfléchir.

Si certains phénomènes « optico-cosmiques » sont à présent expliqués, d'autres, inqualifiables, non quantifiables, restent à clarifier. Leur élucidation devra toutefois renoncer à toute causalité naturelle et admettre qu'il puisse s'agir d'attaques terroristes, d'armes bactériologiques, de pollution endémique, voire de mirage numérique. Dans la nouvelle de Don DeLillo *White Noise*, le héros considère le nuage semeur de psychose avec un émerveillement horrifié, jugeant terrible de voir « si près, si bas, chargé de chlorure, de benzine, de phénol, d'hydrocarbure et [d'on ne sait] quoi encore » ce qu'il dit être une mort « préparée dans un laboratoire » [28]. En cela, son anxiété diffère du sentiment du sublime que Kant illustrait par « des nuages orageux se rassemblant dans le ciel et s'avançant au milieu des éclairs et du tonnerre » [29], car il n'est plus question d'exalter sa conscience en constatant son impuissance face aux forces climatiques : en perdant toute naturalité, celles-ci manifesteraient un sublime que l'on qualifierait plus justement de technologique.

Vertigo (2005) s'inscrit également dans cette entreprise de dématérialisation atmosphérique, mais avec un degré d'abstraction supérieur : ce film d'animation ne donne à voir aucun site en toile de fond, sinon l'immensité sans résistance d'un bleu céleste, infini optique constellé de particules en suspension. *Vertigo* recrée ce qui échappe à tout appareil d'enregistrement : des aberrations optiques dues à des défauts physiologiques internes à l'œil, dont la vision perturbée est dite entoptique. Dans les années 1930 déjà, Edvard Munch dessinait les masses informes apparues dans son champ visuel à cause d'une hémorragie intra-oculaire. Dans *Vertigo*, Grasso simule les points lumineux qu'occasionnent les « corps flottants », micro-condensations du vitré de l'œil. Assez répandus, ces corps adventices sont généralement imperceptibles. Ils appartiennent à l'entrevision, état intermédiaire entre la vision filtrée et la vision prédictive. Superposition directe de l'infiniment proche et de l'infiniment lointain, *Vertigo* contracte le domaine du visible à l'extrême comme l'avait fait plus tôt l'artiste conceptuel américain Dan Graham, en décomptant par écrit onze intervalles séparant l'univers connu de sa rétine, incluant la galaxie, Washington, sa porte d'entrée et sa machine à écrire (*Mars 31, 1966*, 1970).

« Flou se dit de ce qui a rapport à *l'image* : on voit flou à travers les larmes, par exemple des signes, des lettres. Allusion nécessaire au flux, au fluide, au flot ? Se dit plus strictement d'une image artificielle, capturée dans une prothèse (caméra, jumelle, lentille) quand elle est *out of focus*. » [30] En soi donc le flou n'existe pas, il est purement instrumental. D'atmosphérique, la pollution qui hante certains films de Laurent Grasso pourrait tout aussi bien être médiatique, interne à l'appareil d'enregistrement. Le brouillard de *Time Dust* ne serait alors qu'une aberration optique de plus. Mais le flou traduit aussi la difficulté d'accommoder sa vision et son entendement aux corps incommensurables, dont les extrêmes — l'infiniment petit/l'infiniment grand — se rejoignent dans une invisibilité commune. En montrant des phénomènes physiques dont « l'appareil de mesure (et de la théorie qu'il suppose) modifie ou même crée le système mesuré » [31], des événements dont l'expérience serait impossible sans la médiation d'une image filmée ou projetée, Laurent Grasso prouve qu'avec « l'idée de ‹ mesure ›, s'estompe également celle de réalité » [32].

(1) Robert Smithson, « Aerial Art, Proposal for the Dallas-Fort Worth Regional Airport », *Studio International*, vol. 177, № 910, avril 1969, p. 180.

(2) Proposant une spirale de pavements triangulaires préfigurant sa *Spiral Jetty*, Smithson associe trois autres artistes à l'exercice : Sol LeWitt pense enterrer un « objet d'importance mais de peu de valeur », Robert Morris propose d'élever au ras du sol deux grands anneaux concentriques, et Carl Andre, ironique, suggère de bombarder le site pour y creuser un cratère ou d'y planter un champ de bleuets.

(3) Se dit de l'état d'un liquide trouble.

(4) « Visibility is often marked both by mental and atmospheric turbidity », *op. cit.*

(5) « Aerial photography and air transportation bring into view the surface features of this shifting world of perspectives », *op. cit.*

(6) Philippe Dubois, « Le regard vertical ou les transformations du paysage », *Les Paysages au cinéma*, Jean Mottet (dir.), Seyssel, Champ Vallon, 1999, p. 29.

(7) « The disjunction operating between reality and film drives one into a sense of cosmic rupture [...]. Adrift amid scraps of film, one is unable to infuse into them any meaning, they seem worn-out, ossified views, degrarded and pointless, yet they are powerful enough to hurl one into a lucid vertigo », Robert Smithson, « The Spiral Jetty », 1972, rééd. dans *Spiral Jetty : True Fictions, False Realities*, New York, Dia Art Foundation, Berkeley, Los Angeles, Londres, University of California Press, 2005, p. 12.

(8) Yates McKee, « Land Art in Parallax : Media, Violence, Political Ecology », dans Kelly Baum éd., *Nobody's Property : Art, Land, Space*, 2000-2010, Yale, Yale University Press, 2010, p. 46.

(9) Louis Cummins, « Une dialectique Site/Non-Site. Une utopie cartographique », *Parachute*, Montréal, № 68, automne 1992, p. 42-46.

(10) Arnauld Pierre, « Futur antérieur », *20/27*, 2010, № 4, p. 13.

(11) Date à laquelle Galilée aurait employé pour la première fois l'expression « aurore boréale », qui désigne les aurores polaires de l'hémisphère nord, les aurores australes désignant celles de l'hémisphère sud.

(12) Branche de l'Union internationale des télécommunications, organisme fondé, à Paris en 1865, sous le nom Union télégraphique internationale. Elle touche aujourd'hui à toutes les technologies de l'information et de la communication : radiodiffusion numérique, Internet, technologie mobile, etc. Elle regroupe 193 pays. Voir le site de l'UIT, Union internationale des télécommunications : *www.itu.int.*

(13) Dans son texte « Radio Days », Michel Gauthier souligne d'ailleurs que malgré une différence de temps entre le signal du Big Bang perçu par l'antenne Horn et les signaux émis par une « personne morte quelque décennie plus tôt », la logique est la même. Voir *Laurent Grasso : « The Horn Perspective »*, Paris, Éd. Centre Pompidou, « Espace 315 », 2009, p. 18.

(14) Le bombardement d'électrons du tube cathodique serait d'ailleurs une cause de l'épilepsie photosensible. Voir à ce sujet le cas des malaises ressentis en 1999 par des enfants japonais ayant visionné un épisode des *Pokémon* aux passages stroboscopiques.

(15) Format vidéo apparu à la fin des années 1960. Le slow-scan television (SSTV) est un système de transmission par des opérateurs radio, qui assurent la transformation des images en signaux audios ou inversement.

(16) Les images prises sur la lune ont été tournées avec deux types de caméra : pour la simple prise de données, la Maurer 16 mm couleur caractérisée par son faible nombre d'images par seconde (1 image/seconde), et pour la retransmission télévisuelle, des enregistrements noir et blanc slow-scan (10 images/seconde) retransmis en signaux vidéos à différents centres de communications spatiales longues distances (Goldstone, en Californie ; Honeysusckle Creek, en Australie), ainsi qu'au télescope radio de Parkes Observatory (Australie). Les images slow-scan devaient ensuite être converties et reportées sur bandes magnétiques pour pouvoir être diffusées.

(17) Diffusion télévisuelle simultanée dans un maximum de pays. La mission d'Apollo 11 fut retransmise dans 32 pays.

(18) « Wir leben in einer Zeit, in der die Welt, d.h. unsere Umwelt aus neuen Dimensionen erlebbar wird. Durch Satelliten is es möglich geworden, die Erde von ausserterrestrische Standpunkten zu erleben, sei es nun direkt oder in der fotografischen Reproduktion », Gerry Schum, *Land Art, Fernsehgalerie Gerry Schum Television Gallery*, cat. exp. [TV Germany German Channel 1, avril 1969], Hanovre, Hartwig Popp, 1970, n. p.

(19) Eric Dyring, « Espace civil, espace militaire », *Cartes et figures de la terre*, cat. exp. Paris, Centre Georges-Pompidou, Centre de création industrielle, mai-novembre 1980, Paris, Éd. Centre Georges-Pompidou, 1980, p. 24-29.

(20) *Following Piece* et *Proximity Piece*, 1969 et 1970.

(21) Vito Acconci, « Entretien avec Vito Acconci et Yvonne Rainer, réalisé par Christophe Wavelet », le 24 août 2003, dans *Vito Hannibal Acconci Studio*, cat. exp. Nantes, Musée des beaux-arts, juillet-novembre 2004, Barcelone, Musée d'art contemporain, novembre 2004-février 2005, Nantes-Barcelone, Musée des beaux-arts — Musée d'art contemporain 2005, p. 31.

(22) Mario Borillo, « Dématérialisation », *Les Immatériaux*, cat. exp. Paris, Centre national d'art et de culture Georges-Pompidou, mars-juillet 1985, Paris, Éd. Centre Georges-Pompidou, 1985, p. 42.

(23) Boris Groys, « The Image in the Age of the Video », *Un-imaginable*, cat. exp. Karlsruhe, ZKM Center for Art and Media, juillet-août 2008, Ostfildern, Hatje Cantz, 2008, p. 10-19.

(24) Lucy Lippard et John Chandler, « The Dematerialization of Art », *Art International*, vol. XII, № 2, février 1968, p. 32-33.

(25) Terry Atkinson, membre du groupe conceptuel britannique Art & Language, dénonce l'acception trop triviale d'une matérialité limitée à des simulations gravitationnelles, entropiques, énergétiques ou psychiques (« From an Art & Language Point of View », *Art-Language*, vol. 1, № 2, février 1970, p. 36).

(26) Robert Barry, « Four Interviews with Barry, Huebler, Kosuth, Weiner », *Arts Magazine*, vol. 43, № 4, février 1969, p. 22.

(27) « Il y a différents types d'ondes : les ondes à modulations d'amplitude (AM) rebondissent dans l'atmosphère et parcourent le monde entier ; les ondes à modulation de fréquence (FM) gagnent l'espace extérieur, comme les ondes télévisuelles. Tout cela se rapporte au mouvement infini, au maintien en vie de l'idée », Robert Barry, dans *Vides : une rétrospective*, cat. exp. Paris, Centre Pompidou/Musée national d'art moderne, Paris, février-mars 2009, Bern, Kunsthalle, septembre-octobre 2009, Paris-Zürich, Éd. Centre Pompidou — JRP|Ringier, 2009, p. 85.

(28) Don DeLillo, *White Noise*, 1984, *Bruit de fond*, [Paris, Stock, « Babel », rééd. 1999, p. 187, trad. Michel Courtois-Fourcy].

(29) Emmanuel Kant, « La nature comme puissance et le sublime dynamique », dans *Kant, Le jugement esthétique*, textes choisis par Florence Kodoss, Paris, Presses universitaires de France, 2001, p. 49.

(30) Jacques Derrida, « Flou », *Les Immatériaux*, cat. exp. Paris, Centre national d'art et de culture Georges-Pompidou, mars-juillet 1985, Paris, Éd. Centre Georges-Pompidou, 1985, p. 74.

(31) Juliette Grange, « La commensurabilité », *Technique et culture : La mesure dans la vie quotidienne*, № 9, 1983, p. 53.

(32) *Op. cit.*

HÉLÈNE MEISEL

AIRTIME

The word *airtime* could be taken literally as evoking the unlikely union of two perfectly abstract and impalpable elements, air and time, in a hypothetical time zone that would be more atmospheric than terrestrial. *Airtime* could also be taken to describe the state of weightlessness experienced by passengers on the rollercoaster, who are thrown forward from their seats by the combination of speed and inertia. In everyday use, however, the word has nothing to do with cosmic fictions or fairground attractions and simply denotes the amount of time for which something is "aired" on the TV or radio: the duration for which it is "on the air." The metaphor conjures up images of the waves vibrating in the air, in a technological and elementary alliance that is magically invisible. The work that Laurent Grasso has been making since the early 2000s relates, in a sense, to this airtime logic, in that it takes on both the media and medium-related aspects of different communications tools and the atmospheric, aerospace and celestial dimensions of information. The latter's dematerialization, foreseen with the advent of the telegraph, radio and telephone in the nineteenth century, has increased exponentially since the appearance of digital and satellite-based devices after the Second World War. These new information systems also had an effect on the strategies of dematerialization and mediatization employed by a number of artists in the late 1960s.

In 1969, Robert Smithson wrote down the conclusions he had drawn from a collaborative venture undertaken two years earlier with the architects in charge of the new Dallas-Fort Worth airport in Texas. At that time of intensifying air transport, airports were turning into modular megastructures served by highways and forming a geometrical network akin to the crystalline model favoured by the artist. Smithson observed that "the old landscape of naturalism and realism is being replaced by the new landscape of abstraction and artifice" [1] and took on board the possibility that his projects, which were visible only when taking off and landing, might consequently escape perception altogether because of the increase in the speed and altitude of flight. [2] This was the origin of his famous dialectic between site and non-site, between sight and non-sight. This "visibility" which was "often marked by both mental and atmospheric turbidity" [3] would characterize what the artist defined as *Aerial Art*. Observing that "aerial photography and air transportation bring into view the surface features of this shifting world of perspectives," [4] Smithson was positioning himself in what was already a long history of vertical vision. However, compared to the aerostatic photographs taken by Nadar in 1858 or to the panorama filmed from a tethered balloon by the Lumière brothers in the late nineteenth century, the striking feature of Smithson's time was the acceleration of the movement *by* and *in* the image, [5] a dynamic that could shift landscape from abstraction to invisibility.

The spiral of "triangular concrete pavements" that he suggested at the time for an airport prefigured his *Spiral Jetty*, the photogenic qualities of which seemed intended to offset its relative inaccessibility. Indeed, not long after he had laid out his spiral of basalt in the Great Salt Lake, the artist took a 16 mm camera on board a helicopter and filmed it, insisting on the structural unity and symbiosis between the rolling and unrolling of the film stock, the rotation of the helicopter blades and the vortex of the jetty, while nevertheless admitting that "the disjunction operating between reality and film drives one into a sense of cosmic rupture"— into a "lucid vertigo." [6] This is how Land Art apparently generated a paradoxical phenomenology, fusing direct experience of the terrain with its media transposition. Deterritorialized [7] by its mediatization, the work was confronted with a loss of site, a phenomenon which is considered postmodern. [8] It is within this media latency that many of Laurent Grasso's films are situated. They overfly purlieus and phenomena whose reality remains uncertain.

Grasso's camera is often airborne, its perspective distanced and elevated, like that of an airplane or helicopter, and sometimes even a falcon. The synchronization of the lens and the machine carrying it is a phenomenon that was observed long ago in relation to the rail track and dolly in cinema, which Arnauld Pierre has described as new "vision machines transforming the landscape into a panorama or a magic lantern show."[9] The many travelling shots in Grasso's work, however, often do without the rectilinear rail and adopt an airborne mode. But, whether by rail or air, the fusion of two machines systematically minimizes the presence of the cameraman. The purported neutrality of the viewpoint belongs more to the informational aspect of film than to actual moviemaking: aerial film was originally used for military reconnaissance, mapmaking and archaeological surveys: from the sky it was possible to detect data that was otherwise invisible.

Filming Hong Kong's docks, highways and skyscrapers from a relatively low altitude, Grasso's *Radio Ghost* (2003) evokes a mixture of the police patrol and traffic watch. This looped 32-minute film is a sequence of travelling shots interspersed with dissolves in colour. The camera angles play around the reliefs and volumes, which are more or less flattened, depending on the degree of obliqueness. The lack of a horizon heightens the sense of spatial disorientation. An enigmatic building, isolated on the mountainside, stands out from more familiar structures. A geodesic dome in the style of Buckminster Fuller, a globe with triangular facets, turns out to be a radome, that is, a dome housing a pivoting radar. Used for aerial surveillance, it emits and receives electromagnetic waves in order to determine the position, altitude and speed of aeroplanes and thus to guide their approach, as well as to survey the state of air traffic in general. This seemingly inactive sphere must therefore have detected the helicopter as it approached during Grasso's shoot, picking up its movements in keeping with the reflexive logic of the spy espied. The hermetic, immobile appearance of its white shell notwithstanding, the radome is indeed an instrument on the lookout, constantly informing activity in aeronautics, meteorology, astronomy, telecommunications, espionage and military surveillance. In 2007 Grasso made four works haunted by this impenetrable structure: *525* and *320*, two sculptures that are luminous scale models of geodesic radome named after the number of their facets; the film *1619*,[10] in which a sphere set in a polar landscape engages in a strange electromagnetic dialogue with the aurora borealis overhead; and, finally, *Echelon*, a model of the numerous white pods belonging to the eponymous network interception system placed under a black Plexiglas cloche. A global system for intercepting private and public communications, Echelon is organized as a multiplicity of listening bases relaying artificial satellites. It functions like a giant trap intercepting and stocking the waves of all telecommunications transiting via airspace.

What we call the spectrum is "the distribution of the intensity of an [acoustic, electromagnetic] wave, of a bundle of particles, in terms of frequency and energy." At the United Nations there is a body whose role it is to allocate bandwidths in the radio spectrum (the interval is limited to 9 kHz–400 GHz) to individual countries, to watch over the orbit of geostationary satellites and to fight against jamming. Concerned with "broadband wireless connectivity," the Radio Communications Bureau[11] rationalizes the attribution of the spectrum as a limited natural resource, use of which goes beyond telephony, television and satellite navigation. Emergency telecommunications, surveillance and the monitoring of climate change, which are touted as the applications of the future, may also mask other, less noble uses. In contrast to the normalization of the spectrum, used with a view to maximal saturation, there is the continuing existence within the field of radio astronomy of a primordial signal. "Relic radiation" or "cosmic microwave background radiation" is the persistence of electromagnetic radiation generated by the expansion of the universe, that is, by the Big Bang. This sound fossil was detected by Arno A. Penzias and Robert W. Wilson in 1964 using the Holmdel Horn antenna, a gigantic apparatus equipped with a wave guide and a listening cabin, which Grasso has reproduced on a variety of scales. It is thought that this immemorial frequency has been present in the universe for over twelve billion years, joining the most ghostly dimensions of the spectrum in its inconceivable and imperceptible persistence.[12] There is a rumour, which has often been rebutted, that a tiny percentage of television snow is due to the reception of this background noise.

The voices-off that accompany *Radio Ghost* speak of precisely such matters: the spectral manifestations perceived by employees of the radio or cinema. This professional context could be taken to suggest that contact with electronic recording machines exposes people more particularly to instrumental transcommunication. Consequently, the rising movement of the camera could also be taken to evoke the wandering of revenants. The coloured dissolves used as transitions also evoke the fluorescent light that added a false aura to portraits in spiritualist photography. However, beyond this allusion to the paranormal, these sharp-coloured layers could also be an attempt to condition our receptiveness in the manner of a kind of subliminal chromotherapy. In a similar way, the two radio recording studios made by Grasso in 2005 and 2006 are inundated with bright, colourful light variations whose sedative effect could be disguised by their chromatic charm (*Radio Colour Studio*).

If the aerial camera of *Radio Ghost* may therefore suggest both the hunt for spirits and a phantom menace, then this mode of vision may also signal the floating quality of indecision. In *Du soleil dans les yeux* (2001–2), Alpine mountains serve as the backdrop to a ticker band communicating ideas about electromagnetism in the manner of a TV prompter. The unstable view of the Alps behind it oscillates slightly, as would a flight simulator awaiting use. Projected in a loop, the video appears to be on automatic pilot, endlessly ruminating rumours about the physical and metaphysical effects of radio frequencies. "We know that to win a war one must make the enemy deaf and blind. . . . We can say that we now know how to saturate the cerebral activity of grounds troops using electronic signals. . . . Radar jamming systems illuminate the source in such a way as to totally blind it." The constant flow of dispatches hurries our reading and drowns out understanding. Present in the style of urgent news, these pseudo-scientific fragments communicate strategies of territorial possession and cerebral subjection, at the same time as they force the viewer to make a certain kind of reading. At times the images fade away. At others they gradually darken, as if our eyelids were growing heavy. Might it be that *Du soleil dans les yeux* has a soporific effect? As a mixture of advertising-style subjugation and subliminal perfusion, this seemingly transparent and innocuous work could in reality be the very same hypnotic tool of which it speaks. Without displaying a critical position, Grasso is analyzing the duplicity of a medium divided between transmission and opacification.

It would therefore be a mistake to trust the charming title *Du soleil dans les yeux*, which suggests the idea of the dazzle preceding blindness. [13] A few years later, in 2006, the artist immersed the actress Carole Bouquet in almost total darkness. Upright and still, as if in an altered state, Bouquet was scanned by a motion control camera whose computer programme allowed it to stock and then precisely repeat her movements. Taking the place of the cameraman once again, the machine navigates the space around the actress, now moving in towards her, now moving around her. The freely mobile camera seems to be reacting to the real in autonomous fashion, alternating between the blurriness of "going into orbit" and the clarity of its epidermal explorations. The actress is thus mapped in the manner of a lunar exploration. Empty and plain, the studio itself seems to bathe in a sidereal vacuum. The set-up is like a planetary system in which the spotlights are the stars and the camera the satellite. Although centrally positioned, the actress is therefore not the subject of this work whose title — *Satellite* — focuses all our attention on the camera. Finally, the echoes accompanying the film evoke the murmur of a space shuttle. Unless this is the actual signal from the camera or microphone.

It was to the same crackling background that Neil Armstrong spoke his famous words when Apollo 11 landed on the moon on July 21, 1969. Media coverage of the first steps was spectacular. Shot in slow-scan, [14] received and converted for television by long distance spatial communication centres, [15] these images were shown live and broadcast worldwide. [16] A few skeptical viewers, who spotted anomalies in the shadows and in the way the American flag was flying, claimed the whole thing was a hoax filmed in a studio. And yet, starting in 1966, photographs of earth taken from satellites had borne witness to the advancing conquest of space. In 1970, Gerry Schum, who the year before had organized the first "televised exhibition," *Land Art* (1969), noted that our perception of the world had taken on a new dimension ever since, "thanks to satellites, it has become possible to see the earth from an extraterrestrial viewpoint." [17] Starting in the early 1970s, Big Bird photographic reconnaissance satellites were equipped with two image-making systems: *search and find* for broad, undetailed views, and *close look* mode for a degree of precision extending as far as the capture of isolated silhouettes. [18] For many years this double focus was exclusively for military use: civil society had access only to global views of earth, which may explain why the close-up views of the moon were greeted with incredulity, and also why some suspected that aliens were running the show. This paranoia, with its scientific, military and media dimensions, is something that Grasso has often brought out in his work, notably in tracing the continuing theme of electromagnetism running from the inventions of Nikola Tesla to the antennae on the military site of the High Frequency Active Auroral Research Program (HAARP) in Alaska.

In *Tout est possible* (2002), a man ruminates anxiously on a takeover by "auxiliary forces." The camera, which again is furtive, buzzes overhead as the subject walks down the street. Suspended, its flight staccato, the camera seems to be guided by remote control with a view to entering into minds, detecting in the thoughts of the person it is following a paranoiac monologue in which this idea is noteworthy: "in theory, a medium must be neutral." [19] But while this close pursuit may recall Vito Acconci shadowing people in the streets and museums of New York in the late 1960s, it does not have the neutrality of that artist's simple desire to act as a "receiver of another person's activity." [20] For this camera seems to have been put on targeted listening mode, and as such to have detected suspicions that concern, precisely, the media.

Likewise, the incredulity surrounding Apollo 11 reveals symptoms that overlap with Grasso's concerns, such as the inability to grasp the reality of an event, due perhaps to the dematerialization of the information mediating it.

Without yielding to the current taste for obsolete technologies and the related para-fictions, we do need to analyze the characteristics of Grasso's favoured medium: the moving image. No particular format is privileged here: he can use anything from digital animation to 16 or 35 mm film and video. He is eclectic and readily converts formats and transfers media (such as 35 or 16 mm films onto Blu-ray or DVD). The mode of viewing also varies: from the Brionvega Doney television, round as a bubble, to the incisive rectangularity of the *Project 4 Brane* projection module that he conceived in 2007, Grasso organizes the coexistence of what were once succeeding generations, subtly blending their respective patinas of anachronism. The animated image is subject to a new form of entropy transmitted, at varying degrees of compression, from film stock to magnetic tape or computer file. Although the digital age seems to have crystallized the image as a digital code, it nevertheless remains infinitely convertible thanks to the transcoding operations that are constantly renewing its visualization. Back in 1985, already, Mario Borillo spoke of a "dialectical dematerialism" in this respect: "on the one hand, the transferral towards abstraction of systems of representation in order to constitute 'data' that can only be subjected to intellectual operations insofar as — the second movement — they have undergone electronic materialization."[21] The digital image, being merely the visible copy of intangible data, could then be said to signal the return of the invisible.[22] In the same way, the imperceptible phenomena tracked down by Grasso in his films would be an allusion to the invisibility of the data that generate and record them.

In the aesthetic sphere, the volatilisation of information in the late 1960s coincided with the process of dematerialization observed by Lucy Lippard and John Chandler in conceptual art. According to these two critics, the idea or action of the work was becoming more important than its form. However, because of an ambiguity that was as stimulating as it was dissipative, dematerialization became a holdall concept that embraced both the elimination of "visual and psychic elements" and "a more literary aspect."[23] It could serve a critique of the market or the institution, notably in the form of the cancellation, displacement or closure of an exhibition. It could also express the rejection of obsolete techniques. And, from a more phenomenological viewpoint, it could also designate the radical absence of materiality (immateriality), the atomization of matter (its disintegration) or the affirmation that it had been conclusively transcended (sublimation). The respective corollaries of these three processes — emptiness, energy and spirit — gave rise to approaches that the conceptual purists deemed excessively esoteric.[24] Understood as a romantic metaphor, dematerialization struck them as conducive to the return of fiction or naturalist elegy, notably through demonstrations of entropy. Thus a considerable number of works at the time observed the formation of ensembles that were vaporous (steam in the case of Robert Morris and Hans Haacke, clouds in Alice Aycock and Peter Hutchinson) or invisible (inert gas or zones of radioactivity in the work of Robert Barry). But such works were less about naturalist atmospheres or symbolist ethereality than new dimensions, inhabited by unknown waves. Speaking about his exhibition of electromagnetic waves, ultrasounds and radiation in a New York gallery, Robert Barry stated his firm conviction that "there are a lot of things we don't yet know about, which exist in the space around us, and, though we don't see or feel them, we somehow know they are there."[25] Described by Michel Gauthier as representing the *dark side* of conceptual art, Barry, proceeding by means of obscure, telepathic or unconscious dematerialization, broke with the disenchanting rationality of the concept and its obsession with accurate definitions and exact measurements. He preferred the infinite movement of the idea, which he illustrated, first of all, by the perpetual rebounding of waves in the atmosphere.[26] It is no doubt to this *airtime* variety of conceptualism that we need to look for some of the roots of Grasso's work, and especially those pieces in which invisibility disorients experience while stimulating limitless speculation.

The cloud, as an amorphous phenomenon conducive to endless mental projections, is another recurring feature in Grasso's work, but with a plasticity unlike that of a normal meteorological cloud. The video *Les Oiseaux* (2008) shows a colony of starlings flying in the sky over Rome, their fluid, unpredictable circumvolutions oscillating like a 3D animation demo. And yet there are no special effects here. In contrast, the heavy cloud that rolls down a Parisian street in *Projection* (2003–5), the electrostatic pollen misting up the Berlin air in *Polair* (2007), the aurora borealis creating its iridescent effects in the polar night in *1619* (2007) and the optical fog in *Time Dust* (2008) heating up the atmosphere of an astronomical observatory in New Mexico are all virtual animations. Amorphous, unpredictable and enigmatic, these enigmatic phenomena are simulacra. And while the identifiable environments in which they occur bestow a degree of realism, the videos are presented as works without any ambiguity as to their potentially documentary nature. They do not so much probe the truthfulness or illusoriness of images as reflect tendencies towards projection and occultation. Nebulousness acts as a "screen," as much in the sense that it encourages interpretation as in the degree to which it hides what lies behind. Fascinating in their shifting insubstantiality, clouds becomes generic signs for the image itself: Alfred Stieglitz took a series of two hundred photographs of them in the 1930s that he named *Equivalents*. With Grasso, however, nebulosity is animated and its elliptical, erratic or threatening movements seem bent on contaminating space with an infinite expansion. It remains to be decided whether this space is physical, filmic or mental. A mural neon restates this ambiguity: constructed as a rebus with two terms, it superimposes the outline of a plump cloud over the word "projection," which could refer both to the mechanism of showing films and to the process of mental transposition (*Projection*). As a strange sign celebrating the eponymous film, the cloud would thus also be the image of a porous brain, ready to absorb just as much as to reflect.

While some "optico-cosmic" phenomena have now been explained, others have not been defined or quantified, and still need to be clarified. To elucidate them, however, would mean forgoing any kind of natural causality and accepting that they may be the result of terrorist attacks, bacteriological warfare, endemic pollution or even digital mirages. The hero of Don DeLillo's novel *White Noise* contemplates the cloud that spreads psychosis with a mixture of wonder and horror: "It was a terrible thing to see, so close, packed with chlorides, benzines, phenols, hydrocarbons, or whatever the precise toxic content" and bringing "death made in the laboratory."[27] His feeling is very different from the feeling of the sublime, a phenomenon that Kant illustrated with the example of "thunder clouds piled up in the vault of heaven, borne along with flashes and peals."[28] In DeLillo's case it is no longer a matter of exalting consciousness through awareness of our impotence before climatic forces. His phenomena are not natural and therefore manifest a sublime that would be more appropriately described as technological.

Vertigo (2005) also partakes of this attempt at atmospheric dematerialization, but with a higher degree of abstraction. There is no site, no backdrop in this animation, except the unresisting immensity of a celestial blue, an optical infinity constellated with suspended particles. *Vertigo* recreates something that no recording device can capture: optical aberrations caused by the eye's own internal physiological defects, a form of disrupted vision that is described as entropic. Already in the 1930s, Edvard Munch was drawing the formless masses that appeared in his visual field because of an intraocular hemorrhage. In *Vertigo*, Grasso simulates the specks of light occasioned by "floating bodies," or micro-condensation on the vitreous part of the eye. Although fairly common, these adventitious bodies are generally imperceptible. They are merely glimpsed, occurring in the intermediary state between filtered vision and predictive vision. A direct superimposition of the infinitely close and the infinitely remote, *Vertigo* radically shrinks the domain of the visible, as the American conceptual artist Dan Graham did several decades before when he wrote out eleven distances in miles, starting with the one between his cornea and retinal wall, and going from there to his typewriter, his front door, Washington, the edge of the galaxy and, finally, the edge of the known universe (*March 31, 1966*, 1970).

"Blurred is a word that is used in relation to the image: through tears we have a hazy vision of, for example, signs and letters. Is there necessarily an allusion to flux and fluidity? [In French] the term *flou* is more strictly applied to an artificial image captured in a prosthesis (camera, telescope, lens) when it is *out of focus*."[29] In itself, then, haziness or blurring does not exist: it is purely instrumental. The pollution that obtains in several of Grasso's films might, rather than atmospheric, be media-based, that is to say, internal to the recording apparatus. The fog of *Time Dust* would then be simply one more optical aberration. But haziness also reflects the difficulty of adjusting our vision and understanding to incommensurate bodies, the extremes of which — the infinitely small/infinitely large — join together in a common invisibility. By showing physical phenomena for which the "the measuring instrument (and the theory it implies) modifies or even creates the system that is measured,"[30] events that it would be impossible to experience without the mediation of a filmed or projected image, Grasso proves that with "the idea of 'measurement' the idea of reality, too, grows gradually uncertain."[31]

Translated by Charles Penwarden

(1) Robert Smithson, "Aerial Art, Proposal for the Dallas-Fort Worth Regional Airport," *Studio International* 177, № 910 (April 1969): 180.

(2) Smithson involved three other artists in his project for a spiral of triangular pavements, which prefigured his *Spiral Jetty.* Sol LeWitt had the idea of burying an "object of importance but little value," Robert Morris proposed to place two large concentric rings on the ground, while Carl Andre ironically suggested bombing the site in order make a crater, or planting a field of cornflowers.

(3) Robert Smithson, "Aerial Art." The term "turbidity" is used to describe murky liquid.

(4) Ibid.

(5) Philippe Dubois, "Le regard vertical ou les transformations du paysage," in Jean Mottet, ed., *Les Paysages au cinéma* (Seyssel: Champ Vallon, 1999), 29.

(6) Robert Smithson, "The Spiral Jetty," 1972, reprinted in *Spiral Jetty: True Fictions, False Realities* (New York: Dia Art Foundation/Berkeley, Los Angeles, London: University of California Press, 2005), 12.

(7) Yates McKee, "Land Art in Parallax: Media, Violence, Political Ecology," in Kelly Baum, ed., *Nobody's Property: Art, Land, Space, 2000–2010* (Yale: Yale University Press, 2010), 46.

(8) Louis Cummins, "Une dialectique Site/Non-Site. Une utopie cartographique," *Parachute* 68 (Fall 1992): 42–46.

(9) Arnauld Pierre, "Futur antérieur," *20/27* 4 (2010): 13.

(10) This is the year when Galileo is said to have first used the expression *aurora borealis* to refer to the polar auroras of the northern hemisphere (*aurora australis* being the equivalent term for the southern hemisphere).

(11) This was a branch of the International Telecommunications Union, an organization founded in Paris in 1865 under the name Union Télégraphique Internationale. Today, its remit includes all information and communications technologies: digital broadcasting, the Internet, mobile technology, etc. There are 193 member states. See the International Telecommunications Union website: *www.itu.int.*

(12) In his text "Radio Days," Michel Gauthier points out that in spite of the time difference between a signal from the Big Bang picked up by the Horn antenna and the signals emitted by "a person who had died a few decades earlier," the logic is the same. See *Laurent Grasso: "The Horn Perspective"* (Paris: Éd. Centre Pompidou, 2009), 18.

(13) The electron bombardment in a cathode ray tube is indeed thought to be one cause of light-induced epilepsy. On this question, see the case of discomfort felt in 1999 by Japanese children who had watched an episode of *Pokemon* that included stroboscopic passages.

(14) This video format appeared in the late 1960s. Slow-scan television (SSTV) is a transmission system involving radio broadcasters who ensure the transformation of images into audio signals and vice versa.

(15) The images shot on the moon were taken with two types of camera: for simple information gathering, the Maurer 16 mm colour camera, which took a small number of images per second (one image per second, in fact), and for the television broadcast, black-and-white slow-scan film (ten images per second), which were relayed as video signals to various long-distance spatial communications centres (Goldstone in California, Honeysuckle Creek in Australia), and to the radio telescope at the Parkes Observatory in Australia. These slow-scan images were then converted and transferred to magnetic tape for broadcasting.

(16) Simultaneous television broadcast in the highest possible number of countries. The Apollo 11 mission was broadcast in thirty-two countries.

(17) "Wir leben in einer Zeit, in der die Welt, d.h. unsere Umwelt aus neuen Dimensionen erlebbar wird. Durch Satelliten ist es möglich geworden, die Erde von ausserterrestischen Standpunkten zu erleben, sei es nun direkt oder in der fotografischen Reproduktion," Gerry Schum, *Land Art, Fernsehgalerie Gerry Schum Television Gallery*, exh. cat. (Hanover: Hartwig Popp, 1970), unpaginated.

(18) Eric Dyring, "Espace civil, espace militaire," in *Cartes et figures de la terre*, exh. cat. (Paris: Éd. Centre Georges-Pompidou, 1980), 24–29.

(19) *Following Piece* (1969) and *Proximity Piece* (1970).

(20) Vito Acconci, "Entretien avec Vito Acconci et Yvonne Rainer, réalisé par Christophe Wavelet," August 24, 2003, in *Vito Hannibal Acconci Studio*, exh. cat. (Nantes: Musée des beaux-arts/Barcelona: Museu d'Art Contemporani, 2005), 31.

(21) "D'une part, transfert vers l'abstraction des systèmes de représentation pour constituer des 'données,' qui ne pourront être soumises à des opérations intellectuelles que pour autant — deuxième mouvement — qu'elles aient subi une matérialisation électronique." Mario Borillo, "Dématérialisation," in *Les Immatériaux*, exh. cat. (Paris: Éd. Centre Georges-Pompidou, 1985), 42.

(22) Boris Groys, "The Image in the Age of the Video," in *Un-imaginable*, exh. cat. (Ostfildern: Hatje Cantz, 2008), 10–19.

(23) Lucy Lippard and John Chandler, "The Dematerialization of Art," *Art International* XII, № 2 (February 1968): 32–33.

(24) Terry Atkinson, a member of the British conceptual art group Art & Language, critiques the simplification of the idea of materiality to gravitational, entropic, energetic or psychic simulations. "From an Art & Language Point of View", *Art-Language* 1, № 2 (February 1970): 36.

(25) Robert Barry, "Four Interviews with Barry, Huebler, Kosuth, Weiner," *Arts Magazine* 43, № 4 (February 1969): 22.

(26) "There are different kinds of waves: amplitude modulation waves (AM) rebound in the atmosphere and carry all around the world: frequency modulation waves (FM) are beginning to take over external space, like televisual waves. All this is related to infinite movement, to keeping the idea alive." Robert Barry, in *Vides: une rétrospective*, exh. cat. (Paris: Éd. Centre Pompidou/Zürich: JRP|Ringier, 2009), 85.

(27) Don DeLillo, *White Noise* (New York: Viking Penguin, 1985), 127.

(28) "The Dynamically Sublime in Nature §28: Nature as Might," in Immanuel Kant, *The Critique of Judgement*, part one, "The Critique of Aesthetic Judgement," trans. James Creed Meredith (Nabu Press), 110.

(29) Jacques Derrida, "Flou," in *Les Immatériaux*, exh. cat. (Paris: Éd. Centre Georges-Pompidou, 1985), 74. In the original French, Derrida plays on the etymological connection between *flou* (hazy, blurred) and *flot*, meaning wave, or *fluide*: "Flou se dit de ce qui a rapport à l'*image*: on voit flou à travers les larmes, par exemple des signes, des lettres. Allusion nécessaire au flux, au fluide, au flot? Se dit plus strictement d'une image artificielle, capturée dans une prothèse (caméra, jumelle, lentille) quand elle est *out of focus*."

(30) "[L]'appareil de mesure (et de la théorie qu'il suppose) modifie ou même crée le système mesuré." Juliette Grange, "La commensurabilité," *Technique et culture: La mesure dans la vie quotidienne* 9 (1983): 53.

(31) Ibid.

MARIE FRASER

ANTICIPATION DU PASSÉ ET MÉMOIRE DU FUTUR

Amorcée en 2009, la série des études sur le passé, regroupées sous le titre générique *Studies into the past*, montre de façon remarquable combien les œuvres de Laurent Grasso sont traversées par une réflexion sur le temps. Il s'agit d'un ensemble d'œuvres — des dessins et des huiles sur panneau de bois — au style et à la facture inspirés des peintres flamands et italiens des XVe et XVIe siècles, tels que Fra Angelico, Piero della Francesca, Paolo Uccello, Andrea Mantegna, Sandro Botticelli et Pieter Brueghel l'Ancien. Ce chapitre de l'histoire de la peinture est toutefois troublé par la présence de corps étrangers parfaitement intégrés aux compositions. Les références narratives caractéristiques de l'époque, qu'elles soient mythologiques ou religieuses, ont été remplacées par des phénomènes célestes dont il existe peu de représentations picturales avant le XIXe siècle [1] — éclipses, aurores boréales, météorites — ainsi que par un étrange nuage de fumée, un rocher lévitant au-dessus d'un paysage, une envolée d'oiseaux incongrue dans une forêt. L'insertion de ces éléments du futur dans une peinture du passé ne génère pas que des effets d'anachronisme. *Studies into the past* est à comprendre comme un vaste projet conceptuel visant à reconstruire l'idée que l'on se fait de la réalité à une autre époque. Conçues comme si elles appartenaient à un autre temps même si elles sont actuelles, les œuvres sont réalisées selon des méthodes du passé avec une attention scientifique par des équipes de spécialistes, notamment des restaurateurs. En mélangeant ainsi les temps, Laurent Grasso cherche à créer ce qu'il nomme une « fausse mémoire historique », de telle sorte qu'il devienne impossible, dans un avenir lointain, de situer l'époque dans laquelle ces œuvres auront été produites. C'est comme si l'on pouvait manipuler leur historicité, autrement dit intervenir de manière à modifier leur rapport au temps.

Souvenirs du futur (2010), une immense œuvre composée de tubes de néon longs de 36,8 mètres, provoque également, comme l'expression du titre le laisse entendre, une étrange sensation du temps. De la même manière que *Studies into the past* introduit des éléments du futur dans une peinture du passé, *Souvenirs du futur* englobe le passé et le futur mais dans un seul et même horizon historique. Cette perception inversée du temps ne produit pas d'effets anachroniques comme tels, plutôt une forme de rétrofuturisme, un « futur passé » pour reprendre un concept clé de la réflexion sur l'histoire amorcée par Reinhart Koselleck [2]. Ce n'est pas un retour sur le passé, mais une vision de l'avenir dans la perspective du passé. Cette expérience du temps est comparable à celle que l'on éprouve aujourd'hui lorsque l'on regarde des films de science-fiction réalisés à une autre époque : *Le Voyage dans la lune*, de Georges Meliès (1902) ; *Metropolis*, de Fritz Lang (1927) ; ou encore *2001 : l'Odyssée de l'espace*, de Stanley Kubrick (1968). La représentation du futur prend les allures d'une image archaïque. Ce paradoxe temporel occasionne un autre type de temporalité, une expérience du temps motivée par une conception du futur qui provient du passé.

Ce mélange des temps trouve aussi un écho dans la façon qu'a Laurent Grasso de concevoir ses œuvres pour qu'elles interagissent les unes avec les autres et qu'elles entrent en résonance avec l'espace d'exposition. C'est particulièrement le cas depuis qu'il a entrepris de travailler ses études sur le passé, dont il ne cesse de reconfigurer les peintures et d'établir les relations avec d'autres œuvres, des vidéos, des animations numériques, des néons, des maquettes, des reconstitutions. Il peut s'agir de reprendre les mêmes éléments d'une œuvre à l'autre en passant d'une temporalité à une autre. Ainsi, un nuage de fumée peut tout aussi bien envahir un paysage flamand du XVe siècle, dans *Studies into the past*, que les rues d'un Paris contemporain, dans *Projection* (2003-2005), l'une des œuvres vidéo les plus connues de l'artiste. C'est également le cas de l'aurore boréale qui apparaît comme un corps étranger dans l'espace de représentation de *Studies into the past* et comme le sujet d'une observation scientifique dans l'animation vidéo *1619* (2007). L'éclipse subit le même type de déplacement spatio-temporel offrant des réinterprétations faussement historiques et contemporaines du phénomène céleste : passant des représentations picturales du XVe siècle aux reproductions à caractère scientifique du XIXe (*Rétroprojection*, 2007) puis à des simulations des XXe et XXIe siècles dans des animations vidéo et des œuvres en tubes de néon. Un tel recours à des modes de production traditionnels (peinture, dessin, sérigraphie) et contemporains (vidéo, animation, néon) contribue encore davantage à déplacer le cadre spatio-temporel d'une situation, d'un phénomène. Cette perpétuelle reconfiguration a un effet sur le temps, en accentuant la dimension anachronique et atemporelle déjà en jeu, et sur l'espace, en apportant une vision chaque fois différente d'une même réalité.

Portrait of a Young Man (2011), une exposition de ses œuvres que Laurent Grasso a conçue à même l'accrochage des œuvres de la collection permanente du Bass Museum of Art, à Miami, pousse plus loin cette exploration. En développant une muséographie où des œuvres « faussement historiques » côtoient des œuvres authentiques de la Renaissance et du baroque, *Portrait of a Young Man* joue sur l'articulation des temps historiques et sur leur indécidabilité. Passé, présent et futur s'entremêlent au point de nous confondre dans un seul et même espace. Cette reconsidération des temps historiques traverse la réflexion sur l'histoire qui a cours depuis les recherches inaugurales de Reinhart Koselleck[3]. Mais l'interaction des œuvres de Laurent Grasso à une collection historique — tout comme la reconstitution d'un objet du passé, comme on l'a vu à propos de *Studies into the past* — introduit une dimension encore plus forte. Pour reprendre une image que Walter Benjamin a déjà évoquée à propos du concept d'origine, remettre en mouvement un élément provenant du passé, qui est figé dans le temps, génère une expérience singulière qui n'est plus de l'ordre de la succession, de la chronologie ou de la rupture, mais du *reenactment*, du remous et du tourbillon[4]. Ce mouvement du temps, énoncé par Benjamin, entraîne une critique radicale du concept d'histoire et de la relation de l'Humanité au passé.

La manipulation de différentes temporalités ouvrirait sur des mondes possibles, d'où la fascination de Laurent Grasso pour la science, mais surtout pour le lien que la science entretient avec le mystère, l'invisible, l'inexpliqué. Ses œuvres explorent ce qui, dans la science, pousse la réalité à ses propres limites, et elles donneraient raison à la formulation poétique d'Oscar Wilde selon laquelle le « vrai mystère du monde c'est le visible, et non l'invisible »[5].

Les allusions à l'histoire de la science et plus particulièrement à des scientifiques qui se sont penchés sur les problèmes de l'astronomie et sur l'étude de phénomènes atmosphériques et climatiques sont nombreuses. Il n'est pas rare que les œuvres fassent référence à des observateurs ou à des inventeurs dont les recherches ont porté sur des réalités à la limite du possible et qui ont vu leurs conclusions se heurter à des croyances, des mythes, des rejets irrationnels. Le projet entier de *Studies into the past* remonte d'ailleurs au moment de l'histoire où l'art et la science commencent à donner une représentation nouvelle — rationnelle — du monde sans toutefois s'affranchir complètement de l'interprétation mythique ou métaphysique. Ce retour dans le passé est aussi souligné par des titres faisant référence à l'origine de découvertes en astronomie. L'œuvre *1619* correspond à la date à laquelle Galilée, physicien et astronome considéré comme l'un des pères de la science moderne, a utilisé le terme *aurora borealis* pour la première fois. Et *1610* (2011) renvoie à la date d'un de ses dessins originaux représentant une constellation d'étoiles, tiré de son ouvrage *Sidereus Nuncius*, dans lequel il stipule que la terre tourne autour du soleil ; rappelons que c'est cette théorie qui lui a valu d'être accusé d'hérésie par l'Inquisition. Par les moyens de la représentation, Galilée essayait de rendre compte de deux choses, me semble-t-il : la configuration des étoiles en constellation et les effets de la lumière céleste sur la perception. Avec *1610*, Laurent Grasso reprend la constellation et traduit cette lumière bleutée artificiellement grâce aux propriétés colorées du néon.

Laurent Grasso travaille souvent à partir de sources historiques, d'archives et de documents officiels. Il a reproduit plusieurs illustrations de *L'Astronomie populaire* (1879) de Camille Flammarion, qui rassemble des éclipses, des comètes, des météorites, des constellations. Les sérigraphies regroupées sous le titre générique *Rétroprojection*, en cours de réalisation depuis 2007, font donc référence à l'un des premiers ouvrages de vulgarisation scientifique publié au XIXe siècle ainsi qu'à un scientifique dont une grande part de la notoriété repose sur les aspects mystiques de certaines de ses œuvres ayant abordé des manifestations paranormales. Plus récemment, dans l'exposition *Portrait of a Young Man*, figurait une image extraite du magazine scientifique *La Nature*, également publié au XIXe siècle, montrant la découverte fortuite d'une météorite par des paysans au Mexique. Sur les plans technique et conceptuel, les images sont traitées comme si elles appartenaient à un autre temps. Elles sont réutilisées et exposées telles des sources historiques qui viendraient témoigner du passé mais surtout de la vision que l'on pouvait se faire du futur à une autre époque. L'usage de la sérigraphie à l'encre argentée permet de conserver leur côté archaïque et leur donne une apparence légèrement futuriste qui les projette dans le temps. Ces temporalités se superposent. *Rétroprojection* inaugure en ce sens *Studies into the past*, dont la première peinture a été présentée dans l'exposition *The Horn Perspective*, en 2009. Le titre *Rétroprojection* le laisse entendre, ces anciennes reproductions ont été retravaillées comme des « projections du passé vers le futur », évoquant ici le même renversement temporel que je décrivais à propos de *Souvenirs du futur*, c'est-à-dire la projection d'un futur passé.

Lorsque les œuvres de Laurent Grasso font référence à la science, elles ne cherchent pas tant à illustrer ou à expliquer des faits qu'à rendre visible l'aura de mystère qui les entoure. C'est sans doute pour cette raison que les phénomènes auxquels il s'est intéressé renvoient tous, d'une manière ou d'une autre, à l'action d'une force sur un objet ou sur les éléments de la nature : la lumière, le son, l'électricité, le magnétisme, l'électromagnétisme, l'énergie cosmique. Les œuvres qui ont pour titre *Psychokinesis* (2008) illustrent merveilleusement bien la façon dont le mouvement engendré par une force invisible émanant de l'espace peut transformer notre perception de la réalité. Je reprends ici une description qui met l'accent justement sur l'action d'une telle force sur un objet : « Dans un paysage de fin — ou d'origine — du monde, une roche ovoïde, aux aspérités luisantes, repose sur le sol désertique du volcan Teide (île de Tenerife). D'abord agitée d'un imperceptible mouvement, elle se soulève et monte très lentement dans le ciel bleu métallique où elle reste suspendue quelques instants avant de redescendre à sa place primitive, à la manière d'un objet animé par des pouvoirs de télékinésie. » [6] Ce pouvoir de mettre en mouvement un objet apparaît comme une faculté métaphysique, une force supérieure à la raison.

D'autres exemples existent. De toutes les mythologies cosmiques, c'est celle qu'engendrent les éclipses qui montre le mieux le lien indéfectible entre la science et le mystère. C'est du moins celle qui serait la plus documentée historiquement. Et c'est aussi le phénomène céleste qui revient le plus souvent dans les œuvres de Laurent Grasso : sous forme de représentation historique dans *Studies into the past*, de reproduction à caractère pseudo-scientifique dans *Rétroprojection*, et sous forme de simulation de ses propriétés lumineuses dans des animations vidéos et des œuvres en tubes de néon. Le pouvoir de cette mythologie est en étroite relation avec les récits eschatologiques qui dominent le monde occidental jusqu'aux prémices de la modernité. La disparition de la lumière quand un astre en occulte un autre est interprétée comme la fin des temps [7]. Dans la mythologie des éclipses, le mystère n'est pas seul en jeu. L'imaginaire de la fin qui hante l'explication des phénomènes célestes est fondé en fait sur une conception du temps où le futur est présenté, dans les mythes, les légendes et les récits chrétiens, sous la forme d'une apocalypse [8]. L'éclipse incarne cette interprétation du monde qui perçoit la force du temps comme une menace.

Les Oiseaux (2008) posent ce problème d'une façon singulière, en captant le mouvement étrange d'oiseaux dans le ciel de Rome, au-dessus du Vatican. Leur nombre est si impressionnant, leur danse si gracieuse et leur mouvement tellement synchronisé que l'on a peine à croire que le phénomène est réel. Laurent Grasso a aussi réalisé d'autres œuvres dans lesquelles des oiseaux semblent animés d'une même force invisible : des dessins et des peintures de *Studies into the past* ainsi qu'une animation vidéo dont l'atmosphère menaçante, voire hitchcockienne, est rendue de façon technologique et artificielle (*Horn Perspective*, 2009). Dans la vidéo *Les Oiseaux*, le nuage d'étourneaux qui se déplace dans le ciel a bel et bien été filmé. Laurent Grasso a capté cet instant magique mais réel. La grâce presque cinématographique du mouvement, que l'on associe souvent à une menace, serait même accentuée par le fait qu'il s'agit d'une image enregistrée, c'est-à-dire d'une réalité filmée ; le mystère serait d'autant plus fort, et même plus efficace, en ce qu'il implique une force invisible, que l'on ne cherche pas nécessairement à expliquer par une théorie scientifique ou autre. On tend, au contraire, à maintenir en suspens cette tension poétique entre le réel que l'on perçoit comme vérité et le réel que l'on projette dans des mondes possibles. Ni tout à fait vrai ni tout à fait faux. On a souligné fréquemment cette réversibilité du vrai et du faux dans les œuvres de Laurent Grasso : le vrai a souvent l'air du faux et inversement, le faux imite le vrai ; comme il y aurait aussi une réversibilité des temps : le futur se présente comme mémoire, et inversement le passé, comme anticipation.

Cette double réversibilité flirte de très près avec le registre de la science-fiction. Comme les œuvres de Laurent Grasso invitent à y réfléchir, cet imaginaire est à comprendre non pas comme un monde qui se reconstruit à partir de connaissances qui relèvent du merveilleux ou du religieux, mais à partir de théories et de spéculations scientifiques. La science-fiction joue sur une dislocation du monde en présentant notre réalité transformée par ce qu'elle n'est pas encore et par des hypothèses sur ce que pourrait être le futur. Elle est fondée sur le scientifiquement possible et se différencie du fantastique, par exemple, en ce qu'elle superpose des mondes possibles à notre réalité et n'introduit pas de dimension inexplicable [9]. Pour le dire simplement, la science-fiction se définit essentiellement en termes d'espace et de temps : elle est une extension du monde qui nous entoure et une projection dans le passé ou vers le futur.

Même lorsqu'il travaille à partir de sources historiques et de documents scientifiques, Laurent Grasso s'intéresse à la science dans la mesure où elle intervient pour donner une perspective à ce qui est possible, et non pas à la science en tant que telle. Ses œuvres explorent et recréent des situations qui repoussent toujours plus loin notre compréhension de la réalité. Elles vont là où la science peut potentiellement basculer, franchir ses propres limites et ne plus être considérée comme science. Depuis ses premières œuvres, Laurent Grasso s'est penché sur l'action et la présence de forces invisibles qui viendraient d'un autre espace, voire d'une autre temporalité à situer dans le futur comme dans le passé [10] : « Cette immatérialité m'intéresse car les données que j'ai envie de manipuler aujourd'hui sont invisibles : le temps, les ondes magnétiques, l'allusion à d'autres cadres spatio-temporels. » [11] On pourrait dire que la « manipulation de ces données » conduit à deux approches. D'un côté, on retrouve l'idée d'une force invisible qui agit sur les éléments, comme on vient de le voir dans plusieurs œuvres qui s'appuient sur des connaissances relevant du mystère ou de la croyance : le nuage de fumée qui avance, la roche en lévitation, la disparition de la lumière au moment d'une éclipse, les vibrations colorées des aurores boréales et le mouvement des oiseaux animés d'une force surnaturelle. D'un autre côté, on retrouve l'idée de capter la présence de forces invisibles provenant de l'univers ou de notre environnement à l'aide d'instruments, d'appareils et de dispositifs technologiques : des radars, des antennes, des satellites. Ainsi, plusieurs œuvres font-elles référence à la découverte de matières invisibles, des sons par exemple ou des particules qui, au cours du siècle dernier, ont mené à l'élaboration de théories ou de spéculations scientifiques. La découverte du fossile sonore qui postule la présence de vibrations sonores provenant du passé, localisées dans des objets ou des pierres, a fait l'objet de l'exposition *Sound Fossil*, présentée à New York en 2010. La théorie des cordes qui se penche sur l'existence de trous noirs dans l'univers, anticipant la possibilité de voyager dans les différentes dimensions du temps, a donné lieu à l'installation *Project 4 Brane* en 2007.

Laurent Grasso a reconstruit certains appareils et dispositifs technologiques qu'il présente sous forme de maquettes, de reconstitutions ou de modules. En plus d'apparaître dans l'environnement de la vidéo *1619*, des sphères géodésiques produites d'après le modèle de l'architecte Richard Buckminster Fuller sont visibles dans *525* et *320* (2007) ainsi que dans *Echelon* (2007) — une maquette de la station d'interception du réseau Echelon construite en 1956 à Menwith Hill, au Royaume-Uni, en pleine Guerre froide. Laurent Grasso a également reproduit à l'échelle le champ d'antennes de la base militaire du nom de HAARP (High Frequency Active Auroral Research Program) à Gakona, en Alaska. Ces deux œuvres, *Echelon* et *HAARP*, sont la reconstruction d'installations et de dispositifs qui non seulement servent au développement scientifique de réseaux de communication, mais aussi à la manipulation de l'information — au contrôle et à la surveillance médiatique et militaire. On peut lire, dans l'ouvrage sur Laurent Grasso publié en 2009 : « Officiellement, la mission de Menwith Hill est de servir de relais radio et de conduire des recherches en communications. Selon la Fédération des scientifiques américains, Menwith Hill est à la fois une station terrestre pour satellites d'espionnage et une station d'interception pour satellites de communications russes. » [12] On dit même que ce système de renseignement est capable d'exercer une surveillance presque totale des communications, imposant ainsi une autre forme de contrôle et de manipulation que les mythes, les croyances ou les légendes. Qu'elles reconstituent des dispositifs modernes de captation ou de transmission ou qu'elles imaginent des représentations futuristes du passé, les œuvres de Laurent Grasso abordent le même problème, c'est-à-dire le pouvoir d'altérer et de contrôler notre perception de la réalité.

En 2009, alors qu'il entreprend son vaste projet *Studies into the past*, Laurent Grasso reconstruit des inventions scientifiques qui ont permis de découvrir et de capter des données provenant d'un autre espace-temps. L'exposition *The Horn Perspective*, présentée à Paris, au Centre Pompidou, fait référence à deux radio-astronomes américains, Arno A. Penzias et Robert W. Wilson, qui, en 1964, en cherchant à mesurer le rayonnement sonore de la Voie lactée, ont détecté accidentellement un son supplémentaire d'origine inconnue. C'est de cette découverte fortuite qu'est née la théorie sur l'origine de l'univers appelée Big Bang. L'exposition se composait principalement d'une reconstitution grandeur nature de l'appareil des deux scientifiques, qui s'apparente étrangement à une *camera obscura* ; il existe aussi une version maquette de *Horn Antenna*, qui fut présentée, entre autres, dans *Portrait of a Young Man*, aux côtés d'œuvres historiques de la collection du Bass Museum. Parmi ces reconstitutions figure également la réplique de l'antenne Tesla (*Tesla Antenna*), qui tire son nom d'un ingénieur américain d'origine serbe, qui fut l'un des inventeurs de la radiotélégraphie et dont les recherches portent en grande partie sur l'énergie électrique. Installée à l'origine dans la station expérimentale de Colorado Springs construite en 1899, l'antenne permit à Nikola Tesla d'identifier la capacité des aurores boréales à réfléchir des ondes électromagnétiques et de capter, pour la première fois, des ondes radios en provenance de l'espace.

Laurent Grasso a récemment travaillé à un nouveau projet, *Uraniborg*, à partir de l'observatoire d'Uraniborg (« palais d'Uranie », qui tire son nom de la Muse de l'astronomie, Uranie) construit en 1576 sur l'île de Ven, située entre le Danemark et la Suède. Financé par le roi du Danemark Frédéric II, l'astronome Tycho Brahé y mènera sur une période de vingt ans des recherches sur la configuration des étoiles et le mouvement des planètes, remettant en cause plusieurs aspects du système géocentrique de Ptolémée, avançant que l'univers tourne autour d'une terre immobile. S'inscrivant dans le vif des débats suscités par le nouveau modèle copernicien, ses recherches le conduisent à élaborer un système hybride selon lequel la lune et le soleil tournent autour de la terre et les autres planètes autour du soleil. Nonobstant l'apport considérable des observations faites à partir de l'île de Ven à l'évolution de l'astronomie [13], l'attention de Laurent Grasso se porte sur la particularité architecturale du site, conçu par Tycho Brahé comme un dispositif d'observation du ciel, comme un immense appareil de vision. Plutôt que de recourir uniquement à des machines optiques (le télescope n'existe pas encore), l'astronome imagine une configuration architecturale l'autorisant à observer le ciel à partir de plusieurs emplacements offrant différents points de vue. Uraniborg était non seulement un dispositif de vision, mais un milieu de vie où Tycho Brahé a développé une méthode d'observation systématique, nuit après nuit, lui permettant de documenter et d'étudier les moindres transformations du ciel et les moindres mouvements des planètes et des étoiles.

La relation que Laurent Grasso entretient avec ces inventeurs n'est pas anecdotique, quoique le récit de ces « visionnaires » et leurs découvertes aient tout pour fasciner. Aux yeux de l'artiste, Tycho Brahé, avec son observatoire de l'île de Ven, ainsi que Nikola Tesla, trois siècles plus tard, avec sa station de Colorado Springs, ont conçu des « plates-formes pour donner une représentation du monde et dialoguer avec une autre réalité » [14]. Ce sont là des exemples de dispositifs destinés à l'observation du ciel qui redessinent le réel de la même manière que Laurent Grasso conçoit l'exposition comme un dispositif, c'est-à-dire comme une façon de changer notre perspective sur la réalité et de projeter le monde qui nous entoure dans d'autres espaces et d'autres dimensions du temps. Cela se manifeste dans la façon dont les œuvres jouent avec différentes temporalités, mélangeant et cumulant les temps, passé, présent et futur, dans leur configuration qui réorganise continuellement leurs relations, ainsi que dans l'aménagement des lieux d'exposition, qui ouvre sur des mondes possibles et parvient à créer des dialogues entre différentes visions de la réalité.

(1) Le seul exemple connu d'une représentation d'une éclipse à la Renaissance est une peinture d'Albrecht Altdorfer datant de 1515, selon le document accompagnant l'exposition de Laurent Grasso *Portrait of a Young Man* présentée au Bass Museum of Art, à Miami, du 29 octobre 2011 au 12 février 2012.

(2) Voir Reinhart Koselleck, *Le Futur passé. Contribution à la sémantique des temps historiques*, Paris, Éditions de l'École des hautes études en sciences sociales, trad. par Jochen Hoock et Marie-Claire Hoock, 1990.

(3) Koselleck, *op. cit.*

(4) C'est dans ces termes, me semble-t-il, que Walter Benjamin utilisait la métaphore du tourbillon pour parler du mouvement de l'origine. Le mouvement du temps généré par ce tourbillon s'affranchit des contingences de la linéarité. Walter Benjamin a aussi eu recours, dans le contexte philosophique cette fois d'une réflexion sur le concept d'histoire, à l'image de la constellation, qui, elle aussi, éclaire la présence anachronique d'éléments célestes dans l'œuvre de Laurent Grasso, c'est-à-dire la vision du futur dans une peinture du passé. Voir Walter Benjamin, *Origine du drame baroque allemand* (1928), Francfort-sur-le-Main, 1974, Paris, Gallimard, trad. de l'allemand par Sibylle Muller (avec le concours d'André Hirt), 1985, p. 34-35 ; ainsi que, pour la constellation, Walter Benjamin, « Thèses sur le concept d'histoire » (1940), dans *Œuvres III*, Paris, Gallimard, 2000.

(5) Oscar Wilde, cité dans *Laurent Grasso : Le Rayonnement du corps noir*, Dijon, Les presses du réel, 2009, p. 220.

(6) *Op. cit.*, p. 267.

(7) Parmi les quelque 380 figures, planches en chromolithographie et cartes célestes de *L'Astronomie populaire* de Camille Flammarion, une image représente un explorateur européen pointant du doigt une éclipse du soleil pour des autochtones d'Amérique. On imagine aisément le contenu de son récit. Voir Camille Flammarion, *L'Astronomie populaire. Description générale du ciel* (1879), Paris, Flammarion, 2002.

(8) Je me réfère au travail critique incontournable de Frank Kermode, *The Sense of an Ending : Studies in the Theory of Fiction* (1967), Oxford University Press, 2000.

(9) Michel Foucault, dans un texte très peu connu sur Jules Verne, observe une dislocation similaire à l'intérieur de la structure narrative de ce qu'il nomme les « romans scientifiques » : présence de plusieurs systèmes de récits, de plusieurs modes de discours qui s'enchevêtrent ; des voix invisibles surgissent et viennent interrompre le récit, des personnages sont en retrait du monde. Michel Foucault s'attarde notamment à l'analyse du rôle du scientifique dans un passage qu'il me semble particulièrement intéressant de citer ici, dans le contexte de l'œuvre de Laurent Grasso, qualifiant le scientifique d'être « profondément *abstrait* ». « La science, poursuit-il quelques lignes plus loin, ne parle que dans un espace vide » (p. 538). Et plus loin encore : « Les romans de Jules Verne c'est [...] non pas la science devenue récréative ; mais la re-création à partir du discours [...] de la science » (p. 540). Voir Michel Foucault, « L'arrière-fable », *L'Arc*, № 29, *Jules Verne*, mai 1966, p. 5-12, repris dans *Dits et écrits I, 1945-1975*, Paris, Gallimard, 2001, p. 534-541.

(10) Cette idée de capter des manifestations, des potentiels, des présences, des voix des esprits, revient souvent dans les œuvres : outre celles qui sont abordées dans ce texte, on peut mentionner : *Du soleil dans les yeux*, 2001-2002 ; *Le Temps manquant*, 2002 ; *Radio Ghost*, 2003 ; *Paracinéma*, 2005 ; *Vampyres*, 2005.

(11) Laurent Grasso cité par Claire Staebler, dans « My Life in the Bush of Ghosts : Interview Claire Staebler, Laurent Grasso, Christophe Kihm », dans *op. cit.* (note 5), p. 27.

(12) Yoann Gourmel dans *Laurent Grasso : Le Rayonnement du corps noir*, op. cit. (note 5), p. 160.

(13) Les données recueillies et rassemblées par Tycho Brahé ont permis, entre autres, à Johannes Kepler de formuler les lois du mouvement des planètes, dites lois de Kepler.

(14) Propos de Laurent Grasso recueillis lors d'une conversation le 12 janvier 2012.

MARIE FRASER

ANTICIPATING THE PAST, REMEMBERING THE FUTURE

The series of works by Laurent Grasso grouped under the title *Studies into the past*, undertaken in 2009, vividly illustrates the degree to which this artist's works are infused by a meditation on time. The corpus consists of drawings and oil paintings on panel whose style and execution are inspired by such Italian and Flemish painters of the fifteenth and sixteenth centuries as Fra Angelico, Piero della Francesca, Paolo Uccello, Andrea Mantegna, Sandro Botticelli and Pieter Bruegel the Elder. Seen through Grasso's eyes, however, this chapter in the history of painting is disrupted by the presence of the foreign objects that are perfectly integrated into each image. The mythological and religious narrative elements characteristic of the period have been replaced by celestial phenomena rarely illustrated before the nineteenth century [1] — eclipses, auroras borealis, meteorites — along with strange clouds of smoke, a rock hovering over a landscape, an incongruous flight of birds in a forest. This insertion of fragments of the future into paintings from the past does more than simply create a sense of anachronism: *Studies into the past* is in fact a major conceptual project aimed at reconstructing our perception of the reality of another era. Contemporary, yet conceived as though they were from another age, the works are executed using scientifically accurate historical methods by teams of specialists (including conservators). Grasso's goal is to use this fusion of different time frames to create what he calls a "false historical memory," so that in the distant future it will be impossible to identify the period when the works were made. He seems to be attempting to manipulate their historicity, to modify their relationship to time.

As its title intimates, *Souvenirs du futur* (2010), a huge, 36.8 metre-long neon work, also conjures an odd sense of time. But while *Studies into the past* inserts elements of the future into paintings from the past, *Souvenirs du futur* unites past and future within a single historical horizon. This inversed perception of time is not anachronistic as such, but results rather in a kind of retro-futurism, a "future past," to employ a key concept of the inquiry into history initiated by Reinhart Koselleck. [2] This is not a return to the past, but a vision of the future from the perspective of the past. It is a sense of time comparable to the experience we have today when watching science-fiction movies from an earlier era: Georges Méliès's *Le Voyage dans la lune* (*A Trip to the Moon*, 1902), Fritz Lang's *Metropolis* (1927), or even Stanley Kubrick's *2001: A Space Odyssey* (1968). The pictures they present of the future seem archaic, and this temporal paradox generates a new type of temporality, an experience of time shaped by a conception of the future rooted in the past.

This mixing of temporalities also informs the way Laurent Grasso conceives his works to resonate both with one another and with the exhibition space. This is particularly true since he began re-exploring his studies of the past, constantly reworking the paintings and linking them to other works — videos, digital animations, neon installations, models, reconstructions. He sometimes transposes elements from one work to another while simultaneously switching temporalities. The cloud of smoke that invades a fifteenth-century Flemish painting from *Studies into the past* reappears in a modern-day Parisian street in *Projection* (2003–5), one of the artist's best-known video works. The aurora borealis that spreads bizarrely across the picture plane in another piece from *Studies into the past* becomes an object of scientific observation in the animated video *1619* (2007). Through a series of pseudo-historical and contemporary interpretations, the phenomenon of the eclipse undergoes an even more complex displacement that takes it from fifteenth-century painting through nineteenth-century scientific illustration (*Rétroprojection*, 2007) to twentieth- and twenty-first-century simulations using video animation and neon. The concurrent use of traditional production methods (painting, drawing, silkscreen) and contemporary media (video, animation, neon) serves to reinforce the spatiotemporal repositioning of various situations and phenomena. This endless reconfiguring has an effect on both time (accentuating the anachronistic, atemporal dimension already operating) and space (offering a constantly modified view of the same reality).

The investigation was pushed even further in *Portrait of a Young Man*, a 2011 exhibition for which Laurent Grasso integrated his own works into the permanent collection of the Bass Museum of Art in Miami. By adopting a museological approach where "falsely historical" works were juxtaposed with authentic Renaissance and baroque ones, *Portrait of a Young Man* played on the connections between historical periods but also on their undecidability. past, present and future were confusingly intermingled in a single space. Such re-examination of historical times is integral to the reflection on history that has prevailed since Reinhart Koselleck's groundbreaking research. [3] But the interaction between Grasso's works and a historical collection — or, as with *Studies into the past*, his reconstruction of objects from the past — introduces something even stronger. To borrow an image used by Walter Benjamin in his analysis of the concept of origin, reactivating something from the past that is frozen in time generates a singular experience that is no longer shaped by succession, chronology and rupture, but by re-enactment, flux and movement. [4] Benjamin's identification of this temporal motion led to a radical critique of the concept of history and of humanity's relationship to the past.

The manipulation of different temporalities seems to open the way to possible worlds, and this is the source of Laurent Grasso's fascination with science — but especially with mystery, the invisible and the unexplained. His works explore realms of science where reality is pushed to its limits, realms that seem to justify Oscar Wilde's poetic observation that "the true mystery of the world is the visible, not the invisible." [5]

There are many allusions in Grasso's works to the history of science, and particularly to scientists who have devoted themselves to the study of astronomy or research into atmospheric and climatic phenomena. Not infrequently, there are references to observers and inventors whose investigations have taken them to the very frontiers of possibility, and whose conclusions have come up against the barriers of belief, myth and irrational rejection. The entire *Studies into the past* project actually focuses on a period in history when both art and science, although not entirely affranchised from mythical and metaphysical interpretative systems, were beginning to offer a newly rational picture of the world. This historical return is underlined by the allusion of some of Grasso's titles to different astronomical discoveries. *1619*, for instance, is a reference to the year when Galileo (physicist, astronomer and one of the fathers of modern science) first coined the term *aurora borealis*. *1610* (2011) evokes the date of a drawing of a constellation of stars executed by Galileo to illustrate his book *Sidereus Nuncius*, in which he maintained that the earth turns around the sun (an idea that resulted in him being condemned by the Inquisition for heresy). It seems to me that in his drawing Galileo was attempting to capture two things: the shape of a constellation and the effect of cosmic light on perception. Grasso's *1610* translates the former in its cluster of stars and the latter in the bluish artificiality of neon.

Laurent Grasso often draws upon historical sources, archives and official records. He has reproduced several illustrations of eclipses, comets, meteorites and constellations from Camille Flammarion's *L'Astronomie populaire* (1879), producing a group of silkscreen prints titled collectively *Rétroprojection* (an ongoing project undertaken in 2007) that makes dual reference to one of the nineteenth century's first attempts at scientific popularization and to a scientist who owed much of his fame to the mystical aspects of some of his writings and his interest in the paranormal. In the recent *Portrait of a Young Man* exhibition, Grasso included an image of a meteorite discovered by chance in Mexico that he took from another nineteenth-century source, the scientific journal *La Nature*. Technically and conceptually, these images are treated as though they belong to another era. They are reused and exhibited as historical sources that bear witness not so much to the past as to the past's vision of the future. The use of silver ink in the silkscreen process preserves the archaic feel but at the same time gives them a slightly futuristic look, so that the former and the anticipated seem superimposed. The *Rétroprojection* series prefigured the paintings of *Studies into the past*, the first of which was presented in the 2009 exhibition *The Horn Perspective*. As the title suggests, the historical reproductions of *Rétroprojection* have been reworked as "projections from the past into the future," invoking the same kind of temporal inversion as *Souvenirs du futur* by projecting a past future.

When Laurent Grasso's works make reference to science, they aim not to illustrate or explain certain facts but rather to make visible the aura of mystery that surrounds them. This is no doubt why the phenomena that interest him are all related in one way or another to the action on a natural object or element of some kind of force: light, sound, electricity, magnetism, electromagnetism, cosmic energy. The works in the *Psychokinesis* (2008) series offer a marvellous illustration of how the movement generated by an invisible cosmic force can transform our perception of reality. The following description is worth quoting, for it vividly captures the action of such a force on an object: "In a landscape that recalls the end — or the origin — of the world, an ovoid rock with a shiny, rough surface lies on the barren ground of the Teide volcano on Tenerife. Initially agitated by an imperceptible movement, it rises slowly into the metal-blue sky, where it remains suspended for a few moments before descending again to its original location, like an object moved by the power of telekinesis."[6] This power to make an object move seems like a metaphysical faculty, a force beyond reason.

There are other examples. Of all aspects of cosmic mythology, it is the theories generated by the eclipse that most clearly reveal the indefectible connection between science and mystery — or at least that are historically the best documented. And the eclipse is also the cosmic phenomenon that recurs most frequently in Laurent Grasso's practice — as historical image in *Studies into the past*, as pseudo-scientific reproduction in *Rétroprojection*, and as simulation (of its light effects) in the video animations and neon pieces. The power of this mythology is central to the eschatological narratives that held sway in the Western world until the dawn of modernity. The obscuring of light from one celestial body by the passage of another was seen as heralding the end of time.[7] Eclipse-related mythology, then, is about more than elucidating a mystery. The image of an end that haunts explanations of celestial phenomena is in fact rooted in a conception of time (common to myths, legends and Christian narratives) where the future is imagined in apocalyptic terms.[8] This vision of the world, which perceives the force of time as a threat, is somehow embodied in the eclipse.

The video titled *Les Oiseaux* (2008), which captures the strange movement of a flock of birds in the sky above the Vatican, makes the point somewhat differently. There are so many birds, and their dance is so graceful, their movement so synchronized, it is hard to believe that the phenomenon is real. Grasso has made other works where birds seem to be animated by an invisible force, including a number of drawings and paintings from *Studies into the past* and a video animation (*Horn Perspective*, 2009) whose menacing, almost Hitchcockian atmosphere is achieved artificially, through technology. But the cloud of starlings swirling through the sky in *Les Oiseaux* was actually filmed, a magical but real event recorded by the artist. The almost cinematic elegance of the movement, often associated with something sinister, seems heightened by the knowledge that it is a recorded image, a filmed reality. And the mystery seems deeper — more potent — because it implies an invisible force for which we do not necessarily seek an explanation, scientific or otherwise. On the contrary, the tendency is rather to leave unresolved this poetic tension between the reality perceived as true and the imagined reality of possible worlds — between the not quite true and the not quite false. Critics have often noted the reversibility of true and false in Laurent Grasso's works: the true frequently looks false and, conversely, the false mimics the true. There is a temporal reversibility, too: the future appears as memory and, conversely, the past as anticipation.

This double reversibility takes us close to the realm of science fiction. The imaginary dimension opened up by Laurent Grasso's works is not a construct of the supernatural or the religious, but of theories and speculations rooted in science. Science fiction dislocates the known world by showing it transformed by what it has not yet become — by ideas about what the future might be. Based on the scientifically possible, it can be distinguished from the fantastic in its superimposition of plausible worlds over our own reality, without the introduction of an inexplicable dimension.[9] Put simply, science fiction can be defined essentially in terms of space and time: it is an extension of the world around us and a projection into either the past or the future.

Even when he draws upon historical sources and scientific documents, Laurent Grasso is not so much interested in science for its own sake as in how science can shape the possible. His works explore and recreate situations that continually broaden our understanding of reality. They take us to the point where science can potentially collapse, transgressing its own boundaries and moving into a realm where it can no longer be considered science. From his very earliest pieces, Grasso has been preoccupied with the action and presence of invisible forces that seem to originate in another space and even another time, located in either the future or the past.[10] "This immateriality interests me," says the artist, "because the entities I want to manipulate are invisible: time, magnetic waves, allusions to other space-time frameworks."[11] The "manipulation" of these "entities" seems to manifest itself in two approaches. On the one hand, there is the preoccupation with an invisible force acting on different elements, as in the works already discussed that derive from knowledge based on mystery or belief — the advancing cloud of smoke, the levitating rock, the occlusion of light during an eclipse, the coloured vibrations of aurora borealis, the motion of birds driven by an apparently supernatural power. On the other, there is the idea of capturing the presence of invisible cosmic or environmental forces by means of technological instruments, devices or mechanisms: radars, antennas, satellites. A number of Grasso's works allude to the discovery of invisible realities — sounds, for example, or particles that during the twentieth century were the focus of scientific conjecture and theorizing. The hypothesizing of a residual presence in stones and other objects of sound vibrations from the past was the focus of Grasso's exhibition *Sound Fossil*, presented in New York in 2010. String theory, which argues for the existence of black holes (thereby leaving the way open to the possibility of time travel), was the impetus behind the 2007 installation *Project 4 Brane*.

Laurent Grasso has recreated a number of technological devices and mechanisms in the form of models, reconstructions or modules. For example, geodesic domes based on the model developed by Buckminster Fuller are featured in the video *1619*, in the pieces titled *525* and *320* (2007), and in *Echelon* (2007) — a model of the electronic monitoring station (part of the Echelon network) built at Menwith Hill, England, in 1956, during the Cold War. The artist has also executed a scale model of the field of antennas at the High Frequency Active Auroral Research Program (HAARP) military research station at Gakona, Alaska. These two works, *Echelon* and *HAARP*, are reconstructions of installations and mechanisms that are used not only for the development of scientific communications systems but also for the military control and monitoring of information. As explained in the 2009 monograph on Laurent Grasso's work: "Officially, the [Menwith Hill] station is used as a radio relay, and for telecommunications research. According to the Federation of American Scientists, it is a terrestrial station for spy satellites, and for intercepting Russian communications satellites."[12] It has even been suggested that this information system is capable of a virtually universal monitoring of communications, and thereby of exercising an alternative form of control and manipulation to that of myths, beliefs and legends. Whether they reconstruct modern capturing and transmission devices or envision futuristic images of the past, Laurent Grasso's works all have the same focus — the power to alter and control our perception of reality.

In 2009, when he embarked on his major *Studies into the past* project, Laurent Grasso reconstructed a number of scientific inventions that had led to the discovery and capture of information generated in another space-time. The exhibition *The Horn Perspective*, presented at the Centre Pompidou, centred on the work of two American radio astronomers, Arno A. Penzias and Robert W. Wilson. In 1964, while attempting to measure the radiation given off by the Milky Way, the pair encountered radio noise they were unable to explain. This serendipitous discovery led to the formulation of the cosmological model known as the Big Bang theory. Grasso's exhibition consisted principally of a life-size reconstruction of the instrument built by the two scientists, the Horn antenna, which looks oddly like a camera obscura. A reduced model of the device has also been exhibited, most recently in *Portrait of a Young Man* alongside historical works from the Bass Museum's collection. Another of the artist's scientific reconstructions is a replica of the Tesla antenna, named for the Serbian-American engineer who was one of the inventors of wireless telegraphy and a pioneering researcher in the field of electrical engineering. The antenna, installed initially in the laboratory built by Nikola Tesla in Colorado Springs in 1899, enabled the inventor both to determine the capacity of aurora borealis to reflect electromagnetic waves and to capture — for the first time — cosmic radio waves.

Laurent Grasso has recently worked on a new project, *Uraniborg*, focusing on the observatory of Uraniborg (literally "castle of Urania," named for the muse of astronomy), built in 1576 on the island of Ven, in the strait between Denmark and Sweden. Funded by Frederick II of Denmark, the astronomer Tycho Brahe spent twenty years there conducting a comprehensive study of the solar system and rectifying numerous aspects of Ptolemy's geocentric model (according to which the earth is the fixed centre of the universe and all other objects orbit around it). Deeply involved in the lively debate provoked by the new Copernican model, Tycho Brahe was led by his observations to develop a hybrid system in which the moon and the sun revolve around the earth, while the other planets orbit the sun. Despite the major contributions to the development of astronomy that emerged from the observatory on Ven,[13] Laurent Grasso's main interest is the unique architecture of the site, which was designed by Tycho as a machine for observing the sky — a huge viewing apparatus. Rather than relying exclusively on astronomical instruments (the telescope had not yet been invented), the astronomer conceived an architectural layout that allowed him to observe the sky from a number of different viewpoints. Uraniborg was an observatory but it was also Tycho Brahe's home, and he developed a systematic method of observation that involved the study and recording, night after night, of the slightest changes in the sky and the tiniest movements of the planets and stars.

Laurent Grasso's preoccupation with these scientific "visionaries" is generated by more than the fascinating accounts of their lives and discoveries. According to the artist, Tycho Brahe, at his observatory on Ven, and Nikola Tesla, three centuries later at his lab in Colorado Springs, devised "platforms to provide an image of the universe and to interact with other realities."[14] Their creations, mechanisms aimed at observation of the heavens, actually reshaped reality, just as the mechanisms of Laurent Grasso's exhibitions change our way of perceiving actuality and of projecting the world around us into other spaces and other time dimensions. This is manifest in the way his works play on different temporalities, fusing and multiplying time-frames — past, present and future — and constantly restructuring the relations between them. Manifest, too, in the very shape of the exhibition space, which guides the viewer towards new worlds and sparks dialogues between different visions of reality.

Translated by Judith Terry

(1) According to the publication accompanying Grasso's exhibition *Portrait of a Young Man*, held at the Bass Museum of Art in Miami from October 29, 2011 to February 12, 2012, the only representation of an eclipse known to have existed during the Renaissance is a painting by Albrecht Altdorfer dating from 1515.

(2) See Reinhart Koselleck, *Futures past: On the Semantics of Historical Time*, trans. and intro. Keith Tribe (New York: Columbia University Press, 2004).

(3) Ibid.

(4) This, it seems to me, is the sense of Benjamin's use of the image of an "eddy" to describe the movement of origin: the temporal movement generated by this current breaks free of the contingencies of linearity. In his analysis of the concept of history Walter Benjamin also evoked the image of the constellation, which resonates similarly with the anachronistic presence in Grasso's work of celestial phenomena — visions of the future in paintings from the past. See Walter Benjamin, *The Origin of German Tragic Drama* (1928), trans. John Osborne (London: NLB, 1977), 45; for Benjamin's use of the constellation image, see his "Theses on the Philosophy of History" (1940), in *Critical Theory Since 1965*, ed. Hazard Adams and Leroy Searle (Tallahassee: Florida State University Press, 1986), 680–85.

(5) Oscar Wilde, quoted in *Laurent Grasso: The Black-Body Radiation* (Dijon: Les presses du réel, 2009), 220.

(6) *Laurent Grasso: The Black-Body Radiation*, 267.

(7) Among the over 380 illustrations, chromolithographic plates and star charts included in Camille Flammarion's *L'Astronomie populaire* is a picture showing a European explorer pointing out a solar eclipse to a group of Native Americans. It is not hard to imagine what he is telling them. See Camille Flammarion, *L'Astronomie populaire. Description générale du ciel* (Paris: Flammarion, [1879] 2002).

(8) I am drawing here on Frank Kermode's landmark work *The Sense of an Ending: Studies in the Theory of Fiction* (Oxford: Oxford University Press, [1969] 2000).

(9) In a little known essay on Jules Verne, Michel Foucault observed a similar dislocation within the narrative structure of what he calls "scientific novels," which combine multiple narrative systems, a variety of interwoven discourses, invisible speakers who appear out of nowhere to interrupt the story, and shadow characters. In a passage that strikes me as particularly relevant to Laurent Grasso's work, Foucault discusses the role of the scientist, who he describes as "profoundly *abstract*." He continues: "Science speaks only in an empty space." And further on he asserts that "Jules Verne's novels constitute . . . [not] science turned recreative, but re-creation based on the . . . discourse of science." See Michel Foucault, "L'arrière-fable," *L'Arc* 29, (special issue on Jules Verne), (May 1966): 5–12; these excerpts taken from the English translation by Robert Hurley titled "Behind the Fable," in Michel Foucault, *Aesthetics, Method and Epistemology*, ed. James D. Faubion (New York: The New Press, 1998), 137–45.

(10) This idea of recording manifestations, potentialities, presences and disembodied voices recurs frequently: notable (aside from the works discussed here) are *Du soleil dans les yeux* (2001–2), *Le Temps manquant* (2002), *Radio Ghost* (2003), *Paracinéma* (2005), *Vampyres* (2005).

(11) Laurent Grasso, quoted by Claire Staebler, in "My Life in the Bush of Ghosts: Interview Claire Staebler, Laurent Grasso, Christophe Kihm," in *Laurent Grasso: The Black-Body Radiation*, 27.

(12) Yoann Gourmel, in *Laurent Grasso: The Black-Body Radiation*, 160.

(13) Among other things, the observations assembled by Tycho Brahe enabled Johannes Kepler to formulate the descriptions of planetary motion known as Kepler's laws.

(14) Laurent Grasso, in conversation with the author, January 12, 2012 (trans.).

SÉBASTIEN PLUOT

OBÉIR À L'INVISIBLE

Le cinéma est l'art de faire revivre
les fantômes.
Jacques Derrida [1]

Une caméra se filmant dans un miroir
serait le film idéal.
Jean-Luc Godard [2]

It could be argued that vision is the
weapon of discipline societies.
Catherine Liu [3]

Les relations analogiques entre la guerre et le cinéma se trament depuis ses prémices, dès la fin du XIXe siècle, avec le fusil photographique d'Étienne-Jules Marey, une arme que le physiologiste avait transformée en caméra, appareillée pour « capturer » les images d'animal en vol, d'athlète ou de cheval au galop. Séquencées en rafale d'images, les photogrammes obtenus lui permettaient de répertorier, codifier, paramétrer les mouvements des corps, ce qui eut finalement pour conséquence de mettre le corps sous contrôle. Bien que son assistant Georges Demenÿ l'ait utilisé accessoirement pour prononcer « je vous aime » face à l'objectif, la visée menaçante du calibre allait devenir le versant occulté du cinéma. Si la déclaration d'amour ambivalente de Demenÿ dissimulait la pulsion (scopique) de mort inhérente à la caméra, le XXe siècle a largement démontré combien l'invention du fusil photographique n'était pas réductible à une simple opportunité technique mais manifestait bien le symptôme d'une reconfiguration du regard, dont les termes seraient désormais fondés sur des articulations dialogiques associant la vision au contrôle, l'observation et l'accaparement, la préservation et la mort. Le regard ainsi technicisé réorganiserait aussi les relations entre la proximité et la distance par une association de l'œil avec le toucher. Maurice Merleau-Ponty avait identifié que les modèles idéologiques de la représentation perspective de la Renaissance étaient déjà définis comme l'« invention d'un monde dominé, possédé de part en part ». La volonté de « tenir les choses ensemble » par la vision impliquait un regard surplombant, un regard dominant la réalité organisée selon des projections géométriques. Analysant l'extension des systèmes coercitifs de la société administrée du XVIIIe siècle aux techniques de la vision, Michel Foucault remarquait que, aujourd'hui, « nous ne sommes ni sur les gradins ni sur la scène, mais dans la machine panoptique ». Précisant que « notre société n'est pas celle du spectacle, mais de la surveillance », Foucault soulignait que chacun est soumis aux regards normatifs, par le fait que « sous la surface des images, on investit les corps en profondeur » [4]. Comme l'analyse Jonathan Crary [5], la transformation des modalités de la vision s'opère, au début du XIXe siècle, non pas seulement depuis l'invention de la photographie, mais à partir de l'émergence d'une physiologie normative par laquelle « la densité charnelle de la vision » [6] était soumise aux logiques disciplinaires et à celles du spectacle [7]. Depuis, une étape supplémentaire semble avoir été franchie avec la Seconde Guerre du Golfe (1990-1991) [8] et l'invention de cette fusion entre le missile et la caméra. Ces nouvelles technologies militaires — qui furent médiatisées à grande échelle dans un contexte idéologique de vidéo surveillance ubiquitaire et de réalité virtuelle [9] — avaient fait l'objet de nombreuses investigations qui soulignaient le dépassement des registres jusqu'alors relativement différenciés entre le réel et la fiction [10]. En témoignent les études développées au milieu des années 1990 par Harun Farocki [11] ou Chris Marker [12], qui examinèrent minutieusement certains symptômes de la captation mécanique des images. Dans son film *Level 5*, Marker revenait sur la bataille d'Okinawa, en 1945, dont le suicide collectif filmé des résidents de l'île montrait l'évidence de cette nouvelle organisation de la mort, de la technique cinématographique et du spectacle. Marker fige un plan dans lequel, avant de sauter d'une falaise, une femme se tourne vers l'objectif. Face à l'irrévocabilité filmique, au seuil de la chute, Marker interroge les pouvoirs de la caméra sur cette personne : « Aurait-elle sauté si au dernier moment, elle n'avait pas compris qu'elle était vue. Elle savait que l'instrument aurait pu montrer qu'elle n'avait pas eu le courage de sauter. Et celui qui tenait la caméra et la visait comme un chasseur à travers une lunette de visée l'a abattue comme un chasseur. » La voix-off termine par cette affirmation : « On ne peut désobéir à une caméra invisible qui guette. »

« Obéir à l'invisible » est une injonction à partir de laquelle Laurent Grasso semble avoir constitué les termes critiques de son travail. Son approche cinématographique comme ses installations convoquent cette épaisseur historique refoulée du médium et cette inquiétude à l'égard des effets coercitifs d'un regard technicisé, dont le pouvoir est d'autant plus menaçant qu'il est indéterminé, à distance, lui-même invisible. Un regard dont il est question de savoir ce qui se tient derrière, quels sont les signes qui peuvent trahir sa présence, par quels moyens il opère et selon quels mécanismes il serait possible d'être soumis à son obéissance. Par un usage structurel des codes cinématographiques, les films *The Silent Movie*, *HAARP*, *Polair*, *1619*, *Psychokinesis* ou *Projection* mettent en scène la manière dont la technologie ainsi que la perception appareillée par la technique et la captation visuelle de ce que nous appellerons encore le réel agissent sur l'intelligibilité des phénomènes.

> Traditionnellement, le pouvoir, c'est ce qui se voit, ce qui se montre, ce qui se manifeste, et, de façon paradoxale, trouve le principe de sa force dans le mouvement par lequel il la déploie. Ceux sur qui il s'exerce peuvent rester dans l'ombre ; ils ne perçoivent de lumière que de cette part de pouvoir qui leur est concédée, ou du reflet qu'ils en portent un instant. Le pouvoir disciplinaire, lui, s'exerce en se rendant invisible ; en revanche il impose à ceux qu'il soumet un principe de visibilité obligatoire.
>
> Michel Foucault [13]

REGARD ET CONTRÔLE

The Silent Movie confronte deux instruments optiques et stratégiques : le bunker et le cinéma [14]. Appartenant selon la terminologie de Foucault au registre des appareils disciplinaires aux ambitions panoptiques, ces deux outils s'observent dans l'espace littoral de Carthagène. La zone de contact entre la terre fixe et la mer instable sert de décor à cette mise en scène de deux machines de *captures*, qui semblent avoir des comptes à régler. Le film multiplie les plans du site : plan fixe depuis la terre vers la mer avec les batteries de tir perceptibles bien que camouflées dans le paysage ; travelling avant depuis la mer vers la terre ; plan large d'une rive vers une autre ; panoramique à l'intérieur d'un bunker dont les meurtrières découpent le paysage ; mouvement vertical de grue depuis le détail du flanc de la tourelle d'une batterie en acier noir vers un plan large dans la direction de ce que vise le canon ; plan plongé sur un sous-marin ; panneau latéral subjectif de la mer depuis un canon... Ces plans qui s'enchaînent bouleversent la possibilité d'identifier l'agresseur et l'agressé, reflétant l'histoire de ce lieu où républicains et franquistes se sont retrouvés alternativement, et parfois simultanément, d'un côté et de l'autre des armes [15]. L'entremêlement des points de vue engage ainsi une impossibilité de zoomer sur un ennemi identifiable, une perte de repères qui atteste de la paranoïa propre à cette guerre civile jalonnée de retournements d'ennemis intérieurs et d'imprévisibilités stratégiques. Alors que la technique tend habituellement vers une absolue transparence destinée à ceux qui ont le privilège d'un certain point de vue, chaque plan analyse les régimes d'opacité et l'organisation de leur dissymétrie. La caméra découpe ainsi le littoral en segments à partir de cadres qui, s'ils décrivent les innombrables édifices militaires disposés le long de la côte, ont pour objet des menaces qui ne sont pas visibles. La caméra paraît rechercher l'objet de son regard, un ennemi potentiel absent du décor dont la condition d'existence serait de pouvoir transiter subitement de l'invisible au visible. L'objet de chaque plan n'étant pas identifiable, il demeure donc, par son indéfinition, une permanence paranoïaque. Le registre cinématographique de *The Silent Movie* pourrait être qualifié d'une ekphrasis filmique d'un objet invisible. Or, si l'ekphrasis [16] est une tentative de description exhaustive par le langage — et par conséquent nécessairement vouée à l'échec — d'un objet identifiable, la multiplication des plans remplirait la même fonction d'épuisement descriptif mais concernant un objet qui n'est pas donné à voir. Et si l'on peut imaginer que cet objet invisible soit la guerre, le film témoigne, en son absence, de ce qu'elle met en jeu : le contrôle, la puissance d'accaparement et la violence du regard. Empruntant leur lexique cinématographique au film de guerre, les plans semblent capter une scène de bataille alors que celle-ci, décalée dans le temps, n'est plus ou n'est pas encore visible dans le paysage. Le film ne prétend pas reconstituer un événement, il s'attache plutôt à mettre en scène les dimensions spectrales du cinéma, et signifier en quoi les fantômes induits par la caméra peuvent affecter le réel. Dans un état de vigilance inquiet, *The Silent Movie* se situe à l'intersection de l'histoire passée et à venir, les points de vue étant réglés sur une focale indécidable non seulement entre observateur et observé mais aussi entre les registres du réel et de la fiction. Un procédé similaire consistant à faire exister une force potentielle est mis en jeu dans le film d'animation *HAARP*, par un travelling circulaire sur le champ d'antennes dans le désert. Comme dans un « peep show stéréoscopique » [17], la caméra tourne autour d'un objet bien visible, mais si le dispositif technique est mis en évidence, nous ignorons tout de ses effets physiques, ni de ses intentions pour lesquelles nous pouvons néanmoins supposer, précisément pour ces raisons, les pires influences. Le réseau de câbles soutenant les antennes a aussi la particularité de maintenir les regardeurs à distance. D'une manière similaire à *Miles of String* de Marcel Duchamp, les « liens » empêchent de s'approcher, d'entamer une compréhension des éléments présents et donc de dénouer les relations sémantiques induites par leur rassemblement dans l'espace. Cette action qui consiste à tourner autour d'un objet énigmatique lui confère un statut similaire à ce qu'Alfred Hitchcock appelait le MacGuffin [18], un « objet » fictif dont on ne connaît pas la finalité et que seul le « désir de savoir » fait exister. Le point culminant de sa théorie du MacGuffin est mis en scène dans *La Mort aux trousses* (*North by Northwest*, 1956) alors que le personnage principal, Roger Thornhill [19] est menacé par un avion en pleine campagne. Dans sa célèbre analyse, le critique Raymond Bellour décrit plan par plan l'enchaînement binaire des points de vue et remarque notamment le fait qu'il est question d'une alternance entre le regardeur (Thornhill) et le regardé (par une figure imaginaire). Cette alternance essentielle bien qu'inassignable dans *The Silent Movie* recouvre un sens particulier chez Hitchcock, dans la mesure où Thornhill est à la recherche d'un personnage qui n'existe pas alors qu'il tente de prouver qu'il n'est pas ce personnage. Hitchcock nous met là devant un paradoxe structurel du cinéma : celui de porter le point de vue d'un sujet absent auquel le regard du spectateur peut se substituer. Dans son séminaire *Les Écrits techniques de Freud*, Jacques Lacan avance l'idée selon laquelle : « Je peux me sentir regardé par quelqu'un dont je ne vois pas même les yeux, et même pas l'apparence. Il suffit que quelque chose me signifie qu'autrui peut être là. Cette fenêtre, s'il fait un peu obscur, et si j'ai des raisons de penser qu'il y a quelqu'un derrière, est d'ores et déjà un regard. À partir du moment où ce regard existe, je suis déjà quelque chose d'autre. » [20] Dans la séquence de *La Mort aux trousses*, la fonction de cette fenêtre est remplie par le regard de la caméra et derrière elle par celui du spectateur, dont l'avion venu du ciel n'est qu'une métaphore [21]. Ce « *god like-gaze* » plonge sur le personnage comme une menace venue de nulle part. D'une manière similaire, dans la vidéo de Laurent Grasso montrant les images obtenues par un faucon équipé d'une caméra espion survolant le désert à la façon d'un drone animal, le regard est une instance possédant cette faculté de pouvoir regarder depuis n'importe quel endroit et de faire exister autant le « désir de voir » que de générer les craintes les plus inquiétantes. L'œuvre cinématographique de Laurent Grasso situe la provenance de cette puissance « regardante » dans la technologie dont les potentialités ubiquitaires se projettent fantasmatiquement sous des formes menaçantes dans l'esprit du spectateur. L'œuvre *Psychokinesis* est particulièrement significative de ce retournement du regard. Un rocher en lévitation est filmé en plan fixe de telle façon qu'il paraît nous regarder autant que nous le voyons [22]. Le cadrage comme la durée du plan situent intensément l'objet face au regard qui, si l'on en « croit » le titre, serait la cause de son mouvement. L'étrange phénomène engage moins à trouver la cause technologique qui l'aurait produit (magnétisme ou *after effect*) qu'à s'interroger sur la toute puissance et la pensée magique du spectateur dans un contexte où la technologie lui promet d'accroître sa puissance.

Dans les films comme dans les installations, la cause et les effets des phénomènes ne sont jamais simultanément appréhendables. Les installations réalisées à partir de références formelles à des outils technologiques tels des radars ou des antennes sont des lieux ou des objets fictionnels qui renvoient à une activité déterminée par un récit maintenu à distance. Leur résolution formelle évoque certaines potentialités identifiables bien qu'elles fonctionnent comme des signes laissant dans un régime indécidable les termes de leur relation indexicale. Le signifiant, la forme faisant signe, ne renvoie pas à un signifié identifiable en tant qu'il est une réalité concrète, bien qu'il témoigne d'une intentionnalité inquiétante. Alors que la technologie repose sur un principe de fonctionnalité, les relations de causalités sont rompues. Soit les œuvres présentent des objets-causes dont on ne connaît pas les effets, soit nous pouvons observer des effets sans savoir quelles en sont les causes. Nous ne savons pas quels sont les effets des antennes, pas plus que nous n'avons d'information concernant les causes du nuage qui sillonne Paris face à la caméra. Nous pouvons juste observer que le regard se focalise sur cette masse informe et la maintient à distance. Une sorte de pacte s'établissant entre le regard (technique cinématographique) et son objet (nuage naturel) situe les deux dans une relation de fascination et de menace. Bien que Laurent Grasso ne recoure pas à une référence historique précise, on songe ici évidemment à la réitération médiatique obsessionnelle et perverse de l'effondrement des Twin Towers et à la dilatation sans fin de ce nuage.

> Aujourd'hui tous les développements de la technologie des télécommunications ne restreignent pas l'espace des fantômes — car on aurait pu penser que la science et les techniques laissent derrière eux l'époque médiévale des fantômes —, je crois au contraire que l'avenir est aux fantômes et que la technologie moderne de l'image, de la cinématographie et

> de la télécommunication décuple le pouvoir et le retour des fantômes.
> Jacques Derrida [23]

GHOST DANCE

Les figures spectrales évoquées par les voix du film *Radio Ghost* sont prononcées par une série de personnes impliquées dans les industries du spectacle (cinéma, radio, télé). Ces voix faisant le récit d'expériences paranormales sont associées à des vues aériennes de Hong Kong, un territoire en mutation constante, dont les nouveaux développements laissent supposer la violence et la complexité des relations avec le passé. Ces vues en plongée depuis un hélicoptère, autrement appelées « regard divin » (*god like-gaze*) [24], font référence à ces plans d'ensemble emblématiques du cinéma ayant pour première fonction de situer le contexte dans lequel se déroule l'histoire et secondairement, d'instaurer une position de contrôle sur les événements. Alors qu'à ce type de plan succède généralement un plan rapproché, dans *Radio Ghost*, la vision reste à distance, dans cette position qui semble capter les récits des esprits. En déplacement permanent, le regard est apparemment à la recherche de quelque chose d'insaisissable. La clarté du regard plongeant associé au monde des fantômes évoque ce paradoxe inhérent au cinéma depuis son origine selon lequel il est à la fois l'outil scientifique dévoilant ce que le simple regard nu ne pouvait voir et aurait à la fois pour effet de générer une pensée occultiste. Dès son invention, les auteurs et le public entretiennent des croyances tournées vers les qualités magiques de la caméra qui permettrait d'enregistrer et de rendre visibles les esprits, de matérialiser l'empreinte de personnes disparues, de les faire disparaître [25] ou de témoigner d'une menace latente que l'image en mouvement pourrait révéler [26]. Dans son texte « Télépathie », Jacques Derrida souligne le double effet du progrès de la science, à savoir « rendre pensable ce que la science antérieure rejetait dans les ténèbres de l'occultisme, mais libérer simultanément de nouvelles ressources obscurantistes ». Sigmund Freud explique cette étrangeté par la spécificité des nouvelles découvertes scientifiques, qui avaient pour objet des phénomènes souvent invisibles. Selon lui, « la découverte du radium a embrouillé autant qu'élargi les possibilités d'explication du monde physique et la connaissance acquise récemment de ce qu'on appelle la théorie de la relativité a eu pour beaucoup de ceux qui admiraient sans comprendre l'effet d'amoindrir la confiance dans la crédibilité objective de la science » [27]. Les films ainsi que les installations de Laurent Grasso réactualisent ces inquiétudes, ces espoirs et ces fantasmes que la société du XIXe siècle avait projetés dans un monde que la technique prétendait avoir rendu transparent à la raison. Un monde traversé par les ondes invisibles et l'électricité qui n'autorisaient pas seulement une communication plus rapide, mais ouvraient les possibilités fantasmatiques de présence à distance télépathique [28]. Dès le début du XIXe siècle, la science imaginait l'existence d'un langage énergétique diffusé par un corps magnétique se substituant au langage traditionnel [29]. Identifiée à une manifestation électrique, la pensée pouvait devenir une énergie neuronale capable de se projeter d'un sujet à l'autre selon les termes d'une convertibilité totale. Pour certains scientifiques, l'induction électrique propagée par les fibres nerveuses pouvant rayonner et traverser des espaces vides, permettant d'exercer une action « exoneuronale » de la pensée [30]. William Barrett, l'un des fondateurs de la très influente Society for Psychical Research (SPR) avançait que les « sensations mais aussi les idées ou les émotions existant chez le transmetteur pouvaient être reproduites chez un sujet sans l'intervention d'aucun signe ou de communication visible ou audible » [31]. Les puissances fantasmatiques de la machine devenaient ainsi le modèle par lequel le corps pouvait acquérir des pouvoirs surnaturels [32]. Dans la vidéo *Polair* (2007), c'est autour de l'antenne Fernsehturm de Berlin — érigée par la République démocratique allemande comme le symbole de sa puissance technologique — que s'élabore un phénomène qui brouille les distinctions entre la nature, le corps et la technique. Des pollens flottant dans l'atmosphère se densifient jusqu'à constituer une masse mouvante où chaque élément semble s'organiser d'une manière similaire à des neurones formant progressivement un cerveau. Orchestrée par une obscure technologie que nous supposons présente dans un monument pourtant domestiqué du paysage berlinois, ce qui pourrait évoquer une intelligence artificielle composée d'éléments qui jusqu'alors nous apparaissaient aussi habituels que naturels fait irruption comme un phénomène se déployant depuis l'anodin vers le complot organisé.

NATURE, TECHNOLOGIQUE, HYBRIDE ET CONTAMINATION

Les paysages des films de Laurent Grasso, comme les formes hypnotiques générées par les phénomènes qui y ont lieu, font référence à ceux que l'art a composés pour susciter une posture contemplative et une expérience empathique avec la nature (forêt, tempête, ciel nuageux, éclairs, reflets de l'eau d'un lac...). Ils convoquent un registre romantique, préindustriel, par lequel une relation symbiotique à la nature peut être vécue de manière immédiate. Pourtant, alors que Laurent Grasso fait le choix de ce type de paysage idéalisé propice à l'expérience urphänoménale [33], les manifestations fantasmagoriques sont systématiquement médiatisées, contaminées et/ou augmentées par la présence d'un objet technologique (radar, parabole, caméra, antennes...). L'orage et les éclairs dans le ciel perturbé d'un désert sont générés par un champ d'antennes dans la vidéo *HAARP*; le même phénomène provient d'une parabole dans la vidéo *Time Dust* (on peut aussi apprendre que c'est dans ce désert qu'ont eu lieu des essais nucléaires et le tournage du film *Gerry* de Gus Van Sant [34]) ; l'aurore boréale de *1619* surplombe un lac entouré d'une végétation qu'un dôme géodésique vient contaminer ; les nuées de pollens sont en suspension dans un ciel que découpe l'antenne radio berlinoise ; une envolée d'oiseaux surgit dans le sentier d'une forêt comme s'ils avaient été produits par la caméra... Là où se trouve convoquée en tant que citation une esthétique du sublime supposée éveiller une expérience empathique avec la nature se dégage plutôt un registre hybride de la contamination, du dessaisissement et de l'impuissance en contradiction flagrante avec l'expérience transcendantale du sublime. La fascination hypnotique face à l'événement surnaturel est d'autant plus anxieuse que l'opacité des effets artificiels de l'objet technologique s'interpose dans la relation empathique avec le phénomène naturel. Dans sa définition de la catégorie esthétique du sublime [35], Kant souligne qu'il n'est possible d'en faire l'expérience qu'en relation avec une nature dépassant la mesure humaine, manifestant une puissance supérieure suscitant la peur. En cela, dans les films de Laurent Grasso, les phénomènes tels que les éclairs ou les présences animales quasi bibliques sont de ceux qui peuvent susciter au moins l'inquiétude. Kant énumère des phénomènes proches de ceux de *Psychokynesis*, *HAARP*, *Time Dust* ou *1619*: « Des rochers audacieux suspendus dans l'air et comme menaçants, des nuages orageux se rassemblant au ciel au milieu du tonnerre » [36], « des manifestations, dit Kant, d'autant plus attrayantes » qu'elles sont terribles. Il poursuit en transposant la notion de force depuis les manifestations naturelles vers le sujet et sa capacité à s'en rendre maître. Selon lui, les déchaînements de la nature élèvent d'autant plus « les forces de l'âme au-dessus de leur médiocrité ordinaire qu'elles nous font découvrir en nous-mêmes un pouvoir de résistance [...] qui nous donne le courage de nous mesurer avec la toute-puissance apparente de la nature ». Le véritable pouvoir permettant d'accéder à une expérience esthétique du sublime serait, conclut-il de « pouvoir regarder la puissance de la nature sans crainte ». Or, dans les films de Laurent Grasso, il n'est plus question d'élévation héroïque fondée sur un dépassement de soi face aux puissances de la nature, mais de situer la réalité d'un sujet contemporain vivant dans un environnement technicisé, d'autant plus anxiogène que la menace s'exerce dans les lieux qui — faisant référence à la catégorie du sublime — auraient favorisé une possible transcendance par le dépassement de soi. En cela, nous pouvons identifier dans les films et les installations un registre du désenchantement qui identifie dans les ambiguïtés technologiques (positivisme et occultisme, transparence et opacité, fascination et terreur) ce qui contraint toute relation stable et transparente à l'environnement.

En 1920, lorsqu'il tourne *Anne Boleyn* — le film en costume d'époque le plus coûteux de la Universum Film AG (UFA) —, Ernst Lubitsch doit avoir recours à plus de quatre mille figurants pour réaliser la scène de sacrement du roi Henry VIII. Habillés en costumes anglais du XVIe siècle, les chômeurs sont regroupés et attendent moins la prise que le sandwich qui leur sera offert comme seul paiement en échange de leur contribution. Les caméras sont en place quand Lubitsch doit accueillir le président social-démocrate Friedrich Ebert, un homme politique connu pour avoir orienté le parti marxiste vers le centre, et, une fois au pouvoir, avoir réprimé la révolte spartakiste. Dès qu'Ebert arrive dans les décors du film, qui s'appelait justement *Deception*, les figurants n'attendent pas qu'on leur donne le signal pour se révolter, non contre le roi fictif, mais contre celui, bien réel, qui les a trahis [37].

DÉCOR

Ces phénomènes de contagion réciproques entre les domaines de la fiction et du réel incitent à dépasser l'établissement de différences stables entre les deux instances. Le terme paracinéma, que Laurent Grasso a choisi pour l'un de ses films, tourné dans les décors de Cinecittà, qualifie un état d'indéfinition, un « au-delà » du cinéma. L'« au-delà », qui désigne généralement un état qui dépasse le champ de ce qui est entendu comme la réalité normée [38], renverrait dans ce cas à un territoire qui, depuis le cinéma, pourrait se projeter autant dans le réel que dans la fiction, le cinéma pouvant être légitimement considéré tant comme une captation fictive d'une situation réelle que d'une captation réaliste d'une situation fictive. En retenant la leçon de l'insurrection réelle des figurants déguisés dans le décor factice de l'UFA, on peut concevoir pleinement la mesure des processus par lesquels l'« au-delà » de la fiction serait un lieu où se produit le réel. *Paracinéma* est constitué d'une série de plans tournés selon des critères fictionnels classiques du film auquel l'œuvre fait référence (plans fixes, travelling, panneaux...), dans des décors qui avaient été réalisés pour le film *Gangs of New York*, de Martin Scorsese [39]. Aucun figurant, seuls les décors sont visibles dans un état de latence comme pourrait l'être une ville abandonnée. Revenir sur ce site est une manière de prolonger la restitution d'une époque à travers des plans qui, sans les actions ni les figurants, acquièrent cette qualité réaliste absente de la fiction de Scorsese. Pourtant, en règle générale, la fonction du décor est de garantir la véracité de la fiction. Laurent Grasso produit ici l'effet inverse, il ne prétend pas reconstituer le passé, mais, par le procédé fictionnel attribuer au site sa réalité de décor, ce qu'il signifie en tant que décor. Cet usage du décor comme perturbation des registres est aussi présent dans *The Silent Movie.* Avant d'être le sujet d'un film, le site de Carthagène lui-même reposait sur des dimensions fictionnelles. Bien que les constructions de défense aient été conçues pour remplir des fonctions spécifiques (furtivité, protection, attaques), elles ont été pensées comme des fictions, des décors illusionnistes citant différents styles et périodes, dont les architectures égyptienne, grecque antique, maya et médiévale. La captation cinématographique fictionnalise ainsi quelque chose qui est déjà une fiction. Il est d'ailleurs prévu que les militaires préalablement affectés par l'armée au maintien du site se chargent dorénavant de sa promotion culturelle en tant que décor à visiter. *The Silent Movie*, qui capte le hors-champ de l'histoire, est en quelque sorte une nouvelle occurrence de son existence en tant que fiction.

Ces manipulations des conventions admises à l'égard des relations entre la fiction et le réel interrogent les moyens par lesquels sont enregistrés autant les faits historiques que les récits imaginaires. La critique formulée dans les œuvres de Laurent Grasso à l'encontre de la pensée positiviste et de la manière dont elle investit toute sa détermination à l'égard du vrai à partir de l'authenticité de la trace se développe aussi sur le terrain de l'histoire de l'art. En produisant de fausses gravures ou peintures sur bois des XVe et XVIe siècles dans lesquelles il insère des phénomènes paranormaux ou qui pourraient appartenir aux registres de la science-fiction moderne, il produit des pièges temporels qui désorganisent la chronologie historiciste admise. Réalisés à la manière de Memling, Mantegna, Brueghel, Uccello ou Fra Angelico, nous pouvons voir des phénomènes présents dans ses vidéos, tels un rocher en lévitation observé par deux cavaliers dans un paysage biblique ou un nuage de fumée parcourant les rues d'une cité médiévale... L'usage référentiel de cette peinture de la Renaissance permet de substituer aux apparitions religieuses d'angelots, de résurrection et autres annonciations celles, tout aussi ésotériques, des lubies modernes comme la kinesthésie ou l'apparition spectrale alimentées par la toute puissance technologique. Ces incursions paranormales dans la peinture religieuse soulignent la résurgence d'un symptôme autant qu'un jeu avec l'histoire de la constitution d'un prétendu âge moderne de la raison. D'une manière générale, les œuvres élaborent un registre que l'on pourrait qualifier de « para logos », autrement dit, une inquiétude et un doute à l'égard de la raison. Les œuvres de Laurent Grasso ne reposent pas sur un réenchantement du miraculeux et ne portent pas l'ambition d'un dévoilement de dimensions invisibles ou d'une réalité cachée. Elles sont une manière de piéger les logiques et les certitudes de la chronologie, de la science, de l'astrologie et de l'iconologie, de brouiller les repères que ces lieux de pouvoirs ordonnent en tentant de dissimuler leurs ambiguïtés. Identifier ces zones d'occultation revient à désobéir à l'invisible.

(1) Jacques Derrida dans une séquence du film *Ghost Dance* de Ken McMullen, 1983.

(2) Citation évoquée dans le texte de Robert Smithson, « A Cinematic Atopia », *Artforum*, septembre 1971, reproduit dans *The Writings of Robert Smithson*, Paris, Réunion des musées nationaux/Seuil, p. 105-108.

(3) « On pourrait soutenir le fait que la vision est l'arme des sociétés disciplinaires » (Catherine Liu, « A Brief Genealogy of Privacy : CTRL [Space] : Rhetorics of Surveillance from Bentham to Big Brother », *Grey Room*, № 15, printemps 2004, p. 105).

(4) Michel Foucault, *Surveiller et punir, Naissance de la prison*, Paris, Gallimard, « Tel », p. 253-254.

(5) Jonathan Crary, *L'Art de l'observateur, Vision et modernité au XIXe siècle*, Paris, Éditions Jacqueline Chambon, 1994, p. 42-43.

(6) *Op. cit.*, p. 206.

(7) Dans « Romantisme — Psychanalyse — Cinéma : Une histoire de double », Friedrich Kittler, évoque l'intrusion dans la Salpêtrière d'un appareil photographique prenant des images en rafales par Albert Londe, qui aurait selon Kittler emmagasiné, ou... suscité les manifestations hystériques, *1900 Mode d'emploi*, Courbevoie, Théâtre typographique, textes choisis et trad. Bénédicte Vilgrain, 2010, p. 109.

(8) Friedrich Kittler reprend la remarque de Michael Herr selon laquelle : « Au Vietnam, des unités d'élite, comme l'infanterie de marine, n'étaient prêtes à l'assaut et à la mort qu'à condition que NBC, CBS ou ABC aient une équipe de télé » (Kittler, « Romantisme — Psychanalyse — Cinéma : Une histoire du double », *1900 Mode d'emploi*, Courbevoie, Théâtre typographique, textes choisis et trad. Bénédicte Vilgrain, 2010, p. 109).

(9) Pendant la Seconde Guerre du Golfe, certains militaires étaient choisis pour leur habilité aux jeux vidéos.

(10) Le travail de toute une génération d'artistes comme Walid Raad, Renaud Auguste-Dormeuil ou Khalil Joreige et Joana Hadjithomas repose sur ce dépassement d'une distinction entre réel et fiction. Le fait que leurs œuvres se réfèrent à la guerre considérée comme l'épreuve ultime du réel est significatif de leurs positions. Slavoj Žižek, dans *Bienvenu dans le désert du réel* (Paris, Flammarion, 2002, p. 38), avance que le Pentagone aurait sollicité des scénaristes hollywoodiens spécialistes de films catastrophes après le 11-Septembre « dans le but d'imaginer des scénarios possibles d'attaques terroristes, ainsi que les moyens d'y remédier ».

(11) Je me réfère à des films de Harun Farocki tels qu'*Images of the World and the Inscription of War* (1988), *What's Up ?* (1991), *Prison Images* (2000), *War at a Distance* (2003) et en particulier l'installation *Eye/Machine* (2000), qui analysent les implications de ces fusées caméras sur les politiques des images.

(12) Chris Marker, *Level 5*, avec Catherine Belkhodja, production Argos Films/Les Films de l'Apostrophe/KAREDAS, 1996.

(13) Foucault, *op. cit.*, p. 220.

(14) L'analogie entre la salle de cinéma et une architecture coercitive avait déjà été suggérée par Edison lui-même, quand il affubla son premier studio de tournage et de diffusion cinématographique du nom des véhicules de police, Black Maria.

(15) Les batteries de tir furent construites depuis le Moyen Âge pour des raisons chaque fois renouvelées. Le site, parfois juste des fragments, changea de forces politiques à de nombreuses reprises. Par exemple, une batterie franquiste perchée sur une falaise fit feu sur une autre batterie républicaine, qui lui faisait face. À un moment critique de l'histoire, les marins que l'on appelait les radis — car blancs au centre et rouges à l'extérieur — se sont ralliés aux franquistes, faisant basculer les forces de toute la région. Le 5 mars 1939, alors que Carthagène était prête à négocier la paix, Franco décida de conquérir la ville. Les navires s'approchèrent puis firent demi-tour, s'apercevant que toutes les batteries avaient été prises entre-temps par les républicains. Seul un navire, qui n'était pas équipé de radio, s'approcha de la côte et c'est un capitaine franquiste responsable d'une batterie dont il était le seul à connaître l'usage qui, sous la menace d'un républicain, reçut l'ordre de faire feux contre son propre camp. Il fut ensuite exécuté par Franco, qui, dans la foulée, eut l'idée insolite de punir aussi le canon.

(16) Pour Georges Molinié et Michèle Acquien (*Dictionnaire de rhétorique et de poétique*, Paris, Livre de poche, p. 140-142), l'ekphrasis est un « modèle codé de discours qui décrit une représentation (peinture, motif architectural, sculpture, orfèvrerie, tapisserie). Cette représentation est donc à la fois elle-même objet du monde, un thème à traiter et un traitement artistique déjà opéré, dans un autre système sémiotique ou symbolique que le langage. »

(17) L'expression est de Raymond Bellour, *Le Corps du cinéma, Hypnoses, émotions, animalités*, Paris, Éditions P.O.L, 2009, p. 42.

(18) Deux voyageurs sont dans un train allant de Londres à Édimbourg. L'un dit à l'autre : « Excusez-moi Monsieur, mais que contient cet étrange paquet que vous avez placé dans le filet au-dessus de votre tête ? — Ah ça, c'est un MacGuffin. — Qu'est-ce qu'un MacGuffin ? — Eh bien c'est un appareil pour attraper les lions dans les montagnes d'Écosse. — Mais il n'y a pas de lions dans les montagnes d'Écosse. — Dans ce cas, ce n'est pas un MacGuffin. » Alfred Hitchcock avait pour habitude de raconter cette histoire pour manifester son indifférence à l'égard des prétextes qui motivaient ses intrigues.

(19) Le personnage principal, Roger O. Thornhill (Cary Grant), un publiciste new-yorkais décrit comme un sujet vide, est identifié par erreur en la personne de Georges Kaplan, un agent fictif inventé par la CIA pour couvrir son véritable agent infiltré. Thornhill va tenter de retrouver Kaplan pour se disculper de crimes qu'il n'a pas commis. Une situation impossible puisqu'il doit prouver qu'il n'est pas quelqu'un qui n'existe pas.

(20) Jacques Lacan, *Le Séminaire, Livre I : Les écrits techniques de Freud, 1953-1954*, Paris, Seuil, « Champ Freudien », 1975, p. 240. Slavoj Žižek évoque ce retournement du regard entre sujet et objet dans *Jacques Lacan à Hollywood et ailleurs*, Paris, Jacqueline Chambon, 2010. Cette instance regardante, Laurent Grasso l'a mise en scène alors qu'il filmait des femmes dans la rue jusqu'à ce qu'elles s'en rendent comptent et changent de comportement.

(21) Dans son texte « Le blocage symbolique », Raymond Bellour souligne que cette attaque remplit une fonction castratrice (*L'Analyse du film*, Paris, Calmann-Lévy, 1995, p. 131-246).

(22) À ce sujet, voir Georges Didi-Huberman, *Ce que nous voyons, ce qui nous regarde*, Paris, Éditions de Minuit, 1999.

(23) Jacques Derrida dans une séquence du film *Ghost Dance* de Ken McMullen, 1983.

(24) Slavoj Žižek évoque ce *« god like-gaze »* dans *The Pervert's Guide to Cinema*, réalisé par Sophie Fiennes, 2006.

(25) On songe notamment à *Escamotage d'une dame chez Robert-Houdin*, de Georges Méliès, de 1896.

(26) Le rayon X faisait aussi partie de ces inventions technico-scientifiques permettant de voir ce qui était auparavant invisible.

(27) Sigmund Freud, *Psychanalyse et télépathie*, note préliminaire lue en 1921 aux membres de son comité — Abraham, Eitingon, Ferenczi, Jones, Rank et Sachs —, dans Wladimir Granoff et Jean-Michel Rey, *La Transmission de pensée*, Paris, Aubier, 2005, p. 35.

(28) Voir la question de la reformulation des relations entre proximité et distance dans Pamela Thurschwell, *Literature, Technology and Magical Thinking*, 1880-1920, Cambridge University Press, 2001, p. 118.

(29) Roger Luckhurst, *The Invention of Telepathy, 1870-1901*, New York, Oxford University Press, 2002, p. 84 et 88.

(30) *Op. cit.*, p. 75-76.

(31) *Op. cit.*, p. 61.

(32) Avital Ronell souligne à ce sujet combien toute technologie est issue d'un déficit, d'un manque ou d'une blessure, et tente de suppléer, ou de compenser ce qui manque par une prothèse. Elle évoque la façon dont nous empruntons désormais des structures et des désirs fondamentaux aux idiomes technologiques. Son analyse permettant d'identifier en quoi les symptômes générés par ces emprunts témoignent d'un essentiel « manque à être ».

(33) L'urphänomen, le « phénomène originel » ou archaïque fut développé par Goethe à partir de sa recherche sur les plantes pour qualifier une structure élémentaire en toute chose de la nature avec laquelle le sujet peut entrer en résonance.

(34) Tourné comme une balade naturaliste dans le désert, le film se révèle être un jeu vidéo.

(35) Emmanuel Kant, *Critique du jugement*, suivi de *Sur le sentiment du beau et du sublime*, Paris, Librairie Philosophique de Ladrange, 1846, Paris, p. 166-174.

(36) Des phénomènes présents dans les différents films que nous évoquons.

(37) Voir Klaus Kreimeier, *The Ufa Story*, New York, Hill and Wang, 1996, p. 58-59.

(38) Le terme paranormal qualifie des expériences dont l'existence même est contestée et qui ne pourraient être expliquées que par l'intervention de forces inconnues.

(39) *Gangs of New York* retrace les conflits entre deux gangs de Five Points, le bidonville de Manhattan, à la fin du XIXe siècle. Ces quartiers ont été rasés depuis et Scorsese a dû les reconstituer dans les studios de Cinecittà, près de Rome.

SÉBASTIEN PLUOT

OBEYING THE INVISIBLE

Cinema is the art of reviving ghosts.
Jacques Derrida [1]

A camera filming itself in a mirror would be the ultimate movie.
Jean-Luc Godard [2]

It could be argued that vision is the weapon of discipline societies.
Catherine Liu [3]

Through Étienne-Jules Marey's photographic rifle, cinema has maintained analogical relations with war from its inception in the late nineteenth century: the physiologist transformed the weapon into a camera and equipped it for "capturing" images of flying birds, athletes and galloping horses. Sequenced in rapid-fire succession, his photograms enabled him to list, codify and parameterize the movements of bodies, which consequently ended in placing the body under control. Even though his assistant Georges Demenÿ used it to say "I love you" in front of the lens, the threatening gunsight became the hidden side of cinema. If Demenÿ's ambivalent declaration of love concealed a (scopic) death instinct inherent to the camera, the twentieth century proved how the invention of the photographic rifle was not to be reduced to a mere technical opportunity, but was indeed the symptom of a reconstellation of our vision, the terms of which were hence to be based on dialogic articulations associating vision and control, observation and capture, preservation and death. This technologically influenced vision also reorganized the link between proximity and distance by associating sight and touch. Maurice Merleau-Ponty found that the ideological models for the use of perspective during the Renaissance had already been defined as "the invention of a world which is dominated and possessed through and through." The desire to "hold together all these things" through the sense of sight implied an overhanging point of view, which dominated geometric projections of reality. While extending his analysis of eighteenth-century coercive systems to the techniques of vision, Michel Foucault observed that today "we are neither in the amphitheatre, nor on the stage, but in the panoptical machine." Adding that "our society is not one of spectacle, but of surveillance," Foucault underscored that each one of us is subject to a normative vision, since "under the surface of images, one invests bodies in depth." [4] As Jonathan Crary [5] put it, vision suffered a change in the early nineteenth century not only through the invention of photography, but also through the emergence of a normative physiology submitting the "carnal density of vision" [6] to the logics of discipline and of the spectacle. [7] Since then, with the Second Gulf War (1990–91) [8] and the fusion between missile and camera, we seem to have gone one step further. These new military technologies — which were given large-scale media coverage in an ideological context of ubiquitous video surveillance and virtual reality [9] — were the object of numerous investigations highlighting the way in which the usual differentiation between reality and fiction was being overstretched. [10] The studies of Harun Farocki [11] and Chris Marker [12] in the mid-1990s bear witness to this, by minutely examining the symptoms of mechanical image capturing. In his film *Level 5*, Marker went back to the 1945 Battle of Okinawa, when the filming of the collective suicide of the island's residents proved the pervasiveness of this new organization of death, of the techniques of the cinema and the spectacle. Marker freezes a shot in which a woman turns towards the camera before jumping off a cliff. Faced with the irrevocability of filming, just before the fall, Marker questions the power of the camera over this person: "Would she have jumped if she hadn't realized at the last minute that she was being seen. She knew that the instrument might betray that she hadn't had the courage to jump. And the person, who was holding the camera and aiming at her like a hunter through the gunsight, shot her like a hunter." The voice-off concludes: "One cannot disobey an invisible camera lying in wait." [13]

"Obeying the invisible" is the injunction on which Laurent Grasso seems to have based the critical terms of his work. His films as well as his installations summon the repressed history of the medium and the anxiety linked to the coercive effects of a technically influenced vision, whose power is all the more threatening from being undetermined, removed and itself invisible. The idea being to understand what lies behind this vision, the signs likely to reveal its presence, its means of operation and the mechanisms submitting one to obeying it. By structurally using the codes of cinema, the films *The Silent Movie*, *HAARP*, *Polair*, *1619*, *Psychokinesis* and *Projection* stage the way in which technology, as well as perception aided by technique and the visual capturing of what we shall continue to call reality, acts upon our understanding of phenomena.

> Traditionally, power is that which can be seen, that which shows itself, manifests itself, and, paradoxically, finds its strength in the very movement through which it asserts this strength. Those who are submitted to it can remain in the dark; the only light that reaches them comes from this share of power which is granted them, or from the reflection that they bear for a moment. As for disciplinary power, it manifests itself by making itself invisible; reversely it imposes the notion of compulsory visibility on those that are submitted to it.
> Michel Foucault [14]

SEEING AND CONTROLLING

The Silent Movie confronts two optical and strategic instruments: the bunker and the cinema. [15] These two apparatuses, which belong, according to Foucault's terminology, to the category of disciplinary devices with panoptic ambitions, observe each other by the seaside in Cartagena. The contact zone between the motionless land and the unstable sea becomes the setting for two *capturing* machines threatening each other. The film includes various shots of the site: a static shot from the land towards the sea with camouflaged but perceptible coastal battery; a tracking in from the sea towards the land; a long shot from one shore to another; a pan shot inside a bunker with its loopholes slashing the landscape; a tilt up from the detailed side of a black steel gun turret towards a long shot in direction of what the gun is aiming at; a high angle shot of a submarine; a point of view panning shot of the sea from a gun turret — these successive shots make it impossible to know who is attacking and who is being attacked, reflecting the history of a spot which Republicans and Franco supporters occupied in turn, and sometimes simultaneously, on either side of the weapons. [16] The mixing of viewpoints makes it impossible to zoom in on an identifiable enemy, and this disorientation attests to the paranoid side of a civil war punctuated by inside enemies' turnarounds and unpredictable strategies. Whereas technique usually strives to attain total transparency for the benefit of those who have the privilege of a certain point of view, here each shot analyzes some opaque aspect and its lack of symmetry. The camera divides the coast into segments by using frames which, while revealing the innumerable military buildings set up near the sea, refer to invisible threats. The camera seems to be looking for its object, for a potential enemy missing from the decor, which would begin to exist only through its sudden translation from the invisible to the visible. The object of each shot remaining unidentifiable, it constantly imposes a paranoid lack of definition. *The Silent Movie* could be qualified as the filmic ekphrasis of an invisible object. However, if ekphrasis [17] is the attempt at a comprehensive description of an identifiable object through language — and is therefore an attempt that can only fail — one might suggest that multiplying the shots tends to exhaust description in the same way, but concerning an object that is not shown. And if one can imagine this invisible object to be war, in its absence the film testifies to what is at stake: control, the power of monopolizing and the violence of looking. By using the filmic lexicon of war movies, the shots seem to capture a battle scene which, because of a gap in time, is no longer ongoing, or is not yet visible in the landscape. The film does not aim at reconstituting an event, but rather at staging the spectral aspects of cinema, and showing how the ghosts conjured by the camera can influence reality. Anxiously on the lookout, *The Silent Movie* is at the intersection of past and future histories, the points of view and their focal distance remaining undecided between the observed and the observer, as well as between reality and fiction. A similar process, revealing the existence of a potential force, is used in the animated film *HAARP*, with the circular tracking shot of an antenna field in the desert. As in a "stereoscopic peep show," [18] the camera turns around a perfectly visible object, but although the technical device is spotlighted, we know nothing about its physical effects, or about its intentions — which we can however, and for this very reason, suppose to have the worst influences. The network of cables holding up the antennas also keeps the spectators at a distance. In the same way as with Marcel Duchamp's *Mile of String*, these "connections" prevent anyone from coming near, from beginning to understand the elements at hand and therefore from interpreting the semantic relations incurred by their being brought together. When we turn around an enigmatic object, we give it a similar status to what Alfred Hitchcock called the McGuffin, [19] a fictional "object" whose use remains unknown and which exists only through a "desire to know." The McGuffin theory culminated in *North by Northwest* (1956) when the main character, Roger Thornhill,[20] is threatened by an airplane in the middle of the countryside. In his famous analysis, critic Raymond Bellour describes shot by shot the binary succession of viewpoints, and notices an alternation between the one who is looking (Thornhill) and the one who is being looked at (by an imaginary character). This essential alternation, although unascribable in *The Silent Movie*, carries a specific meaning for Hitchcock, since Thornhill is trying to find someone who does not exist at the same time as he is trying to prove that he is not that person. Hitchcock confronts us here with one of the structural paradoxes of cinema: the fact that it conveys the point of view of an absent subject for whom the spectator can then substitute himself. In his seminar *Freud's Papers on Technique*, Jacques Lacan suggests that: "I can feel myself under the gaze of someone whose eyes I do not even see, not even discern. All that is necessary is for something to signify to me that there may be others there. This window, if it gets a bit dark, and if I have reasons for thinking that there is someone behind it, is straightaway a gaze. From the moment this gaze exists, I am already something other."[21] In the sequence in *North by Northwest*, this window is replaced by the camera's gaze, and thus by the spectator's gaze, for which the airplane appearing in the sky is only a metaphor.[22] This "god like-gaze" swoops down on the main character like a threat out of nowhere. In the same way, in Laurent Grasso's video of the pictures obtained by a falcon flying over the desert equipped with a spy camera, in the manner of an animal-drone, the gaze is able to see from anywhere, and gives rise to the "desire to see" as well as to the most unsettling fears. In Laurent Grasso's films, this "looking" force resides in technology, whose ubiquitous potential projects itself fantastically in the spectator's mind in the guise of various threatening forms. His work *Psychokinesis* is particularly evocative of the way in which the gaze can be turned around. A static shot of a levitating rock is filmed in such a way that it seems to be looking at us as much as we are looking at it.[23] The framing and the length of the shot place the object intensely in front of our eyes, which is the reason for its movement, if one is to "believe" the title. Rather than making us want to know the technological reason for such a movement (magnetism or after-effect), this strange phenomenon makes us question the absolute power and the magical thinking process of the spectator, in a context in which technology promises to increase it.

In both his films and his installations, the cause and the effect of phenomena are never apprehended simultaneously. The installations, referring formally to technological tools such as radar or antennas, are fictional places or objects evoking an activity determined by a distanced narrative. Their formal resolution evokes an identifiable potential, even though they function as signs leaving the terms of their indexical relation undecided. The signifier, the form as sign, does not refer to an identifiable signified with a concrete reality, even though it does testify to an unsettling intentionality. Whereas technology is normally based on the principle of functionality, here the effects of causality are interrupted. Either Laurent Grasso's works present causal-objects whose effects we know nothing about or the effects can be observed without knowing what their causes were. We don't know the effects of the antennas, nor do we have any information about what causes the cloud cutting across Paris in front of the camera. We can only observe that our eyes focus on this shapeless mass and keep it at a distance. A sort of pact is established between the gaze (the filming technique) and its object (the natural cloud), which places both in a relation of fascination and threat. Even though Laurent Grasso does not resort to a specific historical reference, one obviously thinks of the media's obsessive and perverse repetition of the collapse of the Twin Towers and the endless expansion of its cloud.

> The development of telecommunications today cannot restrict the space for ghosts — one might have thought that science and technology would leave behind the medieval era of ghosts — on the contrary, I think that the future belongs to ghosts, and that the modern technology of image, film and telecommunications increases tenfold the power and the return of ghosts.
>
> Jacques Derrida[24]

GHOST DANCE

The spectral figures summoned by the voices in *Radio Ghost* are pronounced by persons involved in the film, radio and television industries. These voices talking about paranormal experiences are associated with aerial views of Hong Kong, a constantly mutating territory whose recent developments reveal the violence and complexity of its relations with the past. These bird's-eye views from a helicopter, also called "god like-gaze,"[25] refer to those emblematic long shots whose main function is to define the context in which the story is happening, and also to establish control over the events. While this sort of long shot is generally followed by a close shot, in *Radio Ghost* the point of view remains at a distance, in a position that seems to capture stories told by spirits. Constantly on the move, the gaze is apparently searching for something elusive. The association of a clear bird's-eye view with the world of ghosts revives a paradox that has been inherent to cinema from the start, which is that films are on one hand a scientific tool unveiling what the simple naked gaze cannot see and on the other hand an occurrence generating occultist thinking. From the very start, authors and audience have been nurturing beliefs concerning the magic qualities of the camera, which can record and make spirits visible, materialize the imprint of deceased persons, make them disappear [26] or testify to a latent threat potentially revealed by the moving image. [27] In his essay "Telepathy," Jacques Derrida underlines the double effect of scientific progress, in other words "to render thinkable what earlier science pushed back into the darkness of occultism, but simultaneously to release new obscurantist possibilities." [28] Sigmund Freud explained this uncanny fact by the specific aspects of recent scientific discoveries, whose object were often invisible phenomena. According to him, "The discovery of radium has confused no less than it has advanced the possibilities of explaining the physical world; and the knowledge that has been so very recently acquired of what is called the theory of relativity has had the effect upon many of those who admire without comprehending it of diminishing their belief in the objective trustworthiness of science." [29] Laurent Grasso's films and installations revive the anxieties, hopes and fantasies that nineteenth-century society had projected onto a world that technology claimed to render transparent to reason. A world criss-crossed by invisible waves and electricity, which not only made communication more rapid, but also opened fantastical possibilities of presence within telepathic distance. [30] At the start of the nineteenth century, science was already imagining the existence of an energetic language diffused by a magnetic body substituting for traditional language. [31] Identified with electrical phenomena, thoughts were seen as neuronal energy having the ability to project themselves from one subject to another with total convertibility. For some scientists, the fact that nerve fibres propagated electric induction by radiating through and crossing empty spaces, allowed for an "exoneuronal" action of thought. [32] William Barrett, one of the founders of the very influential Society for Psychical Research (SPR), noted that "ideas or emotions occurring in the operator appeared to be reproduced in the subject without the intervention of any sign, or visible or audible communication." [33] The fantastical powers of the machine thus became the model through which the body could acquire supernatural powers. [34] In the video *Polair* (2007), a phenomenon in the vicinity of the Fernsehturm antenna in Berlin — built by the German Democratic Republic as a symbol of its technological power — starts blurring the distinction between nature, body and technology. Pollen floating in the atmosphere becomes so dense that it constitutes a moving mass where elements seem to organize themselves like neurons in the process of forming a brain. The effect of an obscure technology is orchestrated in a well-known Berlin landscape. And what would have been domesticated and natural suddenly bursts upon us like some artificial intelligence phenomenon, evolving from banality into an organized conspiracy.

NATURE, TECHNOLOGY, HYBRID AND CONTAMINATION

The landscapes in Laurent Grasso's films, just like the hypnotic forms generated by the phenomena occurring there, refer to artistic landscapes leading to a contemplative pose and an empathic experience with nature (forest, storm, cloudy sky, lightning, reflections of the waters of a lake). They bring to mind a Romantic, pre-industrial atmosphere, through which a symbiotic relation with nature can be experienced with immediacy. Nonetheless, while Grasso chooses this sort of idealized landscape favorable to *urphänomenal* [35] experience, the phantasmagorical manifestations are systematically mediatized, contaminated and/or augmented by the presence of a technological object (radar, antenna, camera). In the video *HAARP*, a field of antennas generates thunder and lightning in a perturbed desert sky; in the video *Time Dust* the same phenomenon is created with a dish antenna (it appears that nuclear testing was carried out in this very desert and that Gus Van Sant's film *Gerry* was shot there [36]); the aurora borealis in *1619* lights up a lake surrounded by vegetation which is being contaminated by a geodesic dome; clouds of pollen remain suspended in a sky divided by the Berlin radio antenna; a flight of birds appears over a path in a forest as if it had been created by the camera. This quoting of an aesthetics of the sublime, supposed to awaken an empathetic experience with nature, ends up instead giving out a hybrid impression of contamination, of relinquishment and of impotence, in flagrant contradiction with the transcendental experience of the sublime. The hypnotic fascination with the supernatural event is all the more distressing because the opaqueness of the artificial effects of the technological object interferes with the empathic relation with the natural phenomenon. In his definition of the aesthetic category of the sublime, [37] Kant underscores that it can only be experienced in relation to a nature that overreaches the human dimension, and manifests a superior power from which fear arises. In Laurent Grasso's films phenomena such as lightning or the almost biblical presence of animals provoke anxiety at the very least. Kant lists phenomena that are similar to those in *Psychokynesis*, *HAARP*, *Time Dust* and *1619*: "Bold, overhanging, and as it were threatening, rocks; clouds piled up in the sky, moving with lightning flashes and thunder peals,"[38] manifestations, says Kant, "the sight of them is the more attractive" from being dreadful. He then transposes the notion of power from the natural phenomena to the subject and his ability to master them. According to Kant, nature's outbursts raise "the energies of the soul above their accustomed height, and discover in us a faculty of resistance . . . which gives us courage to measure ourselves against the apparent almightiness of nature." He concludes that the strength which would truly enable us to accede to an aesthetic experience of the sublime would be "to be able to look at the power of nature without fear." However, in Grasso's films, the idea is no longer heroic elevation based on a personal challenge in the face of nature's powers, but rather situating the reality of a contemporary subject living in a technological environment, which creates all the more anxiety because the threat occurs in places referring to the category of the sublime and which might therefore have been favourable to potential transcendence through a personal challenge. Thus in his films and his installations we can identify a disenchanted side blaming technological ambiguities (positivism and occultism, transparency and opaqueness, fascination and terror) for the constraints on stable and transparent relations with the environment.

In 1920, when he was directing *Anna Boleyn* — the most expensive costume film produced by the Universum Film AG (UFA) — Ernst Lubitsch required more than four thousand extras for the scene of the coronation of King Henry VIII. Dressed in sixteenth-century English costumes, unemployed people were gathered together, and were more interested in the sandwich that was going to be their only pay than they were in the scene. The cameras were ready when Lubitsch was asked to welcome the Social Democratic president Friedrich Ebert, a politician known for having oriented the Marxist party towards the centre, and, once in power, for having repressed the Spartacist revolt. As soon as Ebert arrived on the film set — the film happened to be also known as *Deception* — the extras did not need a signal to revolt, not against a fictional king but against the very real one who had betrayed them.[39]

SCENERY

The way in which fiction and reality contaminate each other prevents us from establishing stable differences between them. The word "paracinema," chosen by Laurent Grasso for one of his movies filmed at Cinecittà, qualifies an undefined state, something "beyond" the cinema. This "beyond," which generally denotes a state that goes beyond what is generally understood as conventional reality,[40] refers in this case to a territory which, coming from cinema, can project itself on reality as well as on fiction — and cinema can legitimately be considered either the fictional capturing of a real situation or the realist capturing of a fictional situation. If we recall the true revolt of costumed extras in the fake scenery of UFA, we can fully apprehend the processes through which the "beyond" of fiction becomes a locus where reality occurs. *Paracinéma* comprises a series of shots taken according to the classic criteria of film fiction — to which the work refers (static, tracking and panning shots) — on the stage sets created for Martin Scorsese's film *Gangs of New York*.[41] No extras, only the scenery is visible in a state as latent as that of an abandoned city. Returning to this site is a way of prolonging the restitution of an era through shots that, without action or characters, acquire a realistic quality missing in Scorsese's fiction. However, the function of the scenery in general is to make fiction look as real as possible. Here Laurent Grasso obtains the reverse effect, and does not claim to reconstitute the past, but rather to impose through fiction the reality of the scenery as such, and its meaning as scenery. In *The Silent Movie* he also uses the scenery to blur both aspects. Before becoming the subject of a film, the very site of Cartagena was founded on fictional aspects. Even though the fortifications had been meant for specific functions (stealthiness, protection, attack), they were devised as fictional elements, illusionistic sets quoting various styles and periods, including Egyptian, ancient Greek, Maya and medieval architecture. Capturing on film thus fictionalizes something that is already a fiction. And in fact it has been decided that the soldiers charged by the army with the site's maintenance should also be charged from now on with its cultural promotion as tourist scenery. *The Silent Movie*, which captures the off-camera side of the story, is in a way a further occurrence of its fictionalization.

Manipulating conventional relations between fiction and reality questions the way in which both historical facts and imaginary tales are recorded. Laurent Grasso also unfolds his criticism of positivist thinking, and its way of determining reality from the authenticity of traces, in the field of art history. By creating fake fifteenth- and sixteenth-century engravings or panel paintings in which he includes paranormal phenomena or phenomena possibly pertaining to modern science fiction, he creates temporal traps disrupting the usual historical chronology. These fake works, painted in the style of Memling, Mantegna, Bruegel and Fra Angelico, include some of the phenomena from his videos, like two horsemen observing a levitating boulder in a biblical landscape, or a cloud of smoke floating through the streets of a medieval city. Referring to Renaissance painting enables Grasso to replace religious images of cherubs, or of the Resurrection or Annunciation, with equally esoteric images of modern fads sustained by the omnipotence of technology, such as kinesthesia or ghosts. These incursions of the paranormal into religious painting highlight the resurgence of a symptom, and are also a game with the history of a supposedly modern and rational era.

Over all, his works organize what one might call a "para-logos" trope; in other words, they express anxiety and doubt concerning rationality. The foundation of Laurent Grasso's works is not the desire to re-enchant the miraculous or to unveil invisible dimensions or a hidden reality. They strive to entrap the logic and certainty of chronology, science, astrology and iconology, to blur the references imposed by these authoritative fields when they try to conceal their own ambiguities. Identifying the occurrences of such concealment amounts to disobeying the invisible.

Translated by Claire Bernstein

(1) Jacques Derrida in a sequence of Ken McMullen's film *Ghost Dance*, 1983. (Translator's note: My translation.)

(2) This quotation was referred to in Robert Smithson's "A Cinematic Atopia," *Artforum* (September 1971), reprinted in *Robert Smithson: The Collected Writings*, ed. Jack Flam (Berkeley and Los Angeles: University of California Press, 1996), 141.

(3) Catherine Liu, "A Brief Genealogy of Privacy: CTRL [Space]: Rhetorics of Surveillance from Bentham to Big Brother," *Grey Room* 15 (spring 2004): 105.

(4) Michel Foucault, *Discipline and Punish: The Birth of the Prison*, trans. Alan Sheridan (Harmondsworth: Penguin, 1977).

(5) Jonathan Crary, *Techniques of the Observer: On Vision and Modernity in the Nineteenth Century* (Cambridge, MA: MIT Press, 1992).

(6) Ibid., 150.

(7) In "Romanticism — Psychoanalysis — Film: A History of the Double," Friedrich Kittler mentions Albert Londe bringing a camera inside the Pitié-Salpêtrière hospital, and taking rapid-fire pictures that according to Kittler recorded or provoked hysterical manifestations, in Friedrich A. Kittler, *Literature, Media, Information Systems: Essays*, edited and introduced by John Johnston (Amsterdam: OPA, 1997).

(8) Friedrich Kittler refers to Michael Herr's comment that "In Vietnam, elite troops like the US Marine Infantry were only prepared to attack and risk death on the condition that NBC, CBS or ABC had a camera team on location." Ibid., 93.

(9) During the Second Gulf War, some soldiers were chosen for their dexterity with video games.

(10) An entire generation of artists such as Walid Raad, Renaud Auguste-Dormeuil, and Joana Hadjithomas and Khalil Joreige have based their work on blurring the distinction between reality and fiction. Their references to war as being the ultimate test of reality are revealing. In *Welcome to the Desert of the Real*, Slavoj Žižek suggests that after September 11 the Pentagon might have contacted Hollywood scriptwriters specialized in nightmare scenarios, "with the aim of imagining possible scenarios for terrorist attacks and how to fight them" ([London: Verso, 2002], 16).

(11) I am referring to films by Harun Farocki such as *Images of the World and the Inscription of War* (1988), *What's Up?* (1991), *Prison Images* (2000), *War at a Distance* (2003) and particularly the installation *Eye/Machine* (2000), which analyze the consequences of these camera rockets on image policy.

(12) Chris Marker, *Level 5*, with Catherine Belkhodja, produced by Argos Films/Les Films de l'Apostrophe/KAREDAS, 1996.

(13) Translator's note: The original quotation from Chris Marker's film being unavailable, these lines are translated from the French version.

(14) Michel Foucault, *Discipline and Punish.*

(15) The analogy between the movie theatre and coercive architecture had already been suggested by Edison himself, when he named his first shooting and broadcasting film studio after police cars, Black Maria.

(16) Military batteries had been built since the Middle Ages, each time for different reasons. The site, and sometimes only fragments, changed sides politically a number of times. For example, a pro-Franco battery perched on a cliff fired at another Republican battery just opposite. At a critical historical moment, the seamen known as radishes — because they were white in the middle and red on the outside — rallied to the troops supporting Franco, reversing the balance of power in the entire area. On March 5, 1939, just as Cartagena was ready to negotiate peace, Franco decided to conquer the city. Ships approached and then turned away when they realized that in the meantime all the coastal batteries had been taken over by the Republicans. Only one ship, which was not equipped with a radio, came near the coast, and a pro-Franco captain responsible for one of the batteries that only he knew how to use, was ordered to fire against his own side under the threat of a Republican. He was later executed by Franco, who also had the strange idea of punishing the canon.

(17) For Georges Molinié and Michèle Acquien (*Dictionnaire de rhétorique et de poétique* [Paris: Livre de poche, 1996], 140–42), ekphrasis is the "coded model of a discourse describing a representation (painting, architectural motif, sculpture, piece of silverware, tapestry). Such a representation can then be seen to be simultaneously an earthly object, a theme to be developed and an applied artistic technique, within a semiotic or symbolic system other than language."

(18) The expression is Raymond Bellour's, *Le Corps du cinéma, Hypnoses, émotions, animalités* (Paris: P.O.L, 2009), 42.

(19) "Two men are in a train between London and Edinburgh. One asks, 'What's that package up there in the baggage rack?' The other replies, 'Oh, that's a McGuffin.' The first one asks, 'What's a McGuffin?' 'Well,' the other man explains, 'it's an apparatus for trapping lions in the Scottish Highlands.' The first man says, 'But there are no lions in the Scottish Highlands.' To which the other answers, 'Well, then, that's no McGuffin!'" Alfred Hitchcock used to tell this story to show his indifference to what inspired his plots.

(20) The main character, Roger O. Thornhill (Cary Grant), a New York advertising executive described as an empty subject, is mistakenly identified as George Kaplan, a fictional agent invented by the CIA to cover the real infiltrated agent. Thornhill tries to find Kaplan to prove that he has not committed certain crimes. An impossible situation, because he must prove that he is not someone who doesn't exist.

(21) Jacques Lacan, *The Seminar of Jacques Lacan, Book I: Freud's Papers on Technique, 1953–1954)*, trans. John Forrester (Cambridge: Cambridge University Press, 1988), 215. Slavoj Žižek evokes this reversal of the gaze between subject and object in *Enjoy Your Symptom! Jacques Lacan in Hollywood and Out* (New York: Routledge, 2001). Laurent Grasso staged this gazing presence when he filmed women in the street until they noticed what he was doing and changed their behaviour.

(22) In his essay "Le blocage symbolique," Raymond Bellour underlines the fact that this attack has a castrating function (*L'Analyse du film* [Paris: Calmann-Lévy, 1995], 131–246).

(23) On this subject, see Georges Didi-Huberman, *Ce que nous voyons, ce qui nous regarde* (Paris: Éditions de Minuit, 1999).

(24) Jacques Derrida in a sequence of Ken McMullen's film *Ghost Dance*, 1983. (Translator's note: My translation.)

(25) Slavoj Žižek refers to this "god like-gaze" in *The Pervert's Guide to Cinema*, directed by Sophie Fiennes, 2006.

(26) We are reminded of Georges Méliès' film *Escamotage d'une dame chez Robert-Houdin* (*The Vanishing Lady*), 1896.

(27) X-rays were another technical-scientific invention that enabled us to see what used to be invisible.

(28) Jacques Derrida, "Telepathy," trans. Nicholas Royle, *Oxford Literary Review* 10 (1988): 3–41.

(29) Sigmund Freud, *Psycho-Analysis and Telepathy*, 1941 [1921]. *The Standard Edition of the Complete Psychological Works of Sigmund Freud*, vol. 18 (London: Hogarth Press and the Institute of Psycho-Analysis, 1974), 177.

(30) See the reformulation of relations between proximity and distance in Pamela Thurschwell, *Literature, Technology and Magical Thinking, 1880–1920* (Cambridge: Cambridge University Press, 2001), 118.

(31) Roger Luckhurst, *The Invention of Telepathy, 1870–1901* (New York: Oxford University Press, 2002), 84 and 88.

(32) Ibid., 75–76.

(33) Ibid., 61.

(34) In this regard, Avital Ronell emphasizes how technology arises from a deficit, a lack or a wound, and how it tries to make up for or compensate for what is missing with a prosthesis. She evokes the way in which we now borrow fundamental structures and desires from technological idioms. Her analysis defines how the symptoms generated by this borrowing testify to an essential "lack of being."

(35) The *urphänomen*, the "original phenomenon" or the archaic phenomenon, was developed by Goethe in his research on plants to qualify an elementary structure present in all natural things and with which the subject can resonate.

(36) The film, which is shot like a naturalistic stroll in the desert, reveals itself to be a videogame.

(37) Immanuel Kant, *Critique of Judgement*, translated with introduction and notes by J. H. Bernard, 2nd ed. revised (London: Macmillan, 1914).

(38) Such phenomena can be found in the various films we are referring to.

(39) See Klaus Kreimeier, *The UFA Story* (New York: Hill and Wang, 1996), 58–59.

(40) The term "paranormal" qualifies experiences whose very existence can be contested and which can only be explained through the intervention of unknown forces.

(41) *Gangs of New York* narrates the conflicts between two gangs in Five Points, the Manhattan slum, in the late nineteenth century. Since then the neighbourhood has been torn down and Scorsese had to reconstitute it in the studios of Cinecittà, near Rome.

MATHILDE ROMAN

DES DISPOSITIFS DU SUSPENS

CEREBRUM EST IN CAPITE

Au XVIIIe siècle, dans l'*Encyclopédie*[1], Diderot et d'Alembert ont défini le corps sur le modèle de la machine, le décrivant comme un automate aux rouages complexes. Cette vision réductrice de la vie humaine, conçue sur le modèle de l'horloge, fera pourtant émerger une littérature romantique et fantastique autour d'un corps capable après la vie de poursuivre une existence autonome. L'invention de la guillotine peu de temps après nourrira largement cet imaginaire, appliquant de manière terrifiante la conception du corps comme mécanisme. Donner la mort relève d'une action simple consistant à rompre l'unité vitale par une scission entre la tête et le tronc. La question sera alors de savoir où réside l'âme, dans quelle partie du corps elle prend refuge lors du dernier soupir, et ce qu'elle devient, donnant ainsi naissance à une profusion de croyances en une existence *post mortem*.

Dans *Bomarzo* (2011), Laurent Grasso explore le bois sacré[2] du comte Orsini, en Italie, mystérieux parc de sculptures grotesques construit à la Renaissance et redécouvert par les surréalistes. Une voix-off accompagne la progression et lit une inscription gravée dans la pierre : « Cerebrum est in capite ». Le cerveau est dans la tête. Une prise de position exprimée bien avant l'invention de la guillotine et qui, si elle défend un ancrage de la conscience dans la partie la plus noble et raisonnable du corps, accompagne pourtant la création de sculptures extravagantes. Laurent Grasso trouve dans ce bois un écho à son approche artistique, où l'image mentale prime sur le corps, tout en étant aussi le lieu de la déraison. L'attention qu'il porte aux recherches scientifiques rejoint ainsi l'idée que c'est dans les tentatives les plus rationnelles de se saisir du monde que surgissent les croyances les plus fortes dans le surnaturel. Le jardin d'Orsini est envahi par des présences fantastiques, par des imaginaires angoissants ouvrant les portes de l'inconnu. L'affirmation de la tête comme lieu de la pensée ne mène pas vers des univers maîtrisés mais vers les débordements de l'inconscient. De même, Laurent Grasso s'empare d'instruments de mesure, de dispositifs de transmission, d'inventions témoignant de la capacité de l'homme à rationaliser et à dominer le cours des choses et du vivant pour mettre en scène les dérives dont ils sont porteurs, flirtant avec l'irrationnel tout en restant toujours dans le domaine du possible.

DÉPLACEMENTS ET DISTORSIONS

Si Laurent Grasso se tourne vers la radio ou les satellites, c'est en tant que réceptacles du réel où s'immiscent des images, des sons, des apparitions mettant en cause une conception transparente du visible. La volonté de maîtriser toutes les communications, de percer les plus secrètes, d'infiltrer les zones d'ombre afin de réduire le monde à un vaste quadrillage parfaitement orchestré achoppe dans son ambition d'omniscience. Des interférences, des accidents, des failles s'immiscent toujours, sources inépuisables d'inspiration pour la science-fiction. L'œuvre de Laurent Grasso s'enracine dans des expériences perceptives mentales soutenues par la croyance dans le primat de la raison sur le corps, mais une raison sans cesse confrontée à des phénomènes incompréhensibles. Plusieurs pièces mettent ainsi en scène des outils de saisie du réel et de ses images, associant dispositifs de captation et d'émission, qui interrogent les rapports au monde qu'ils engendrent. Que ce soit dans *Radio Ghost* (2003) ou dans *HAARP* (2009), le spectateur circule entre les deux extrémités de la transmission : entre une cabine de projection et un écran de cinéma, entre la reproduction sculpturale d'une base militaire et scientifique de modification de l'ionosphère et une vidéo montrant le phénomène naturel provoqué. Les passages successifs entre la cabine et l'écran mettent en avant la façon dont se construit l'image mentale et l'inconnu qui émerge des lieux de la production. Dans *Radio Ghost*, la perception première s'engouffre dans une vue aérienne de la ville de Hong Kong. À la sortie de la salle de cinéma, une porte attire l'attention sur le lieu d'où provient la projection. Là, une bande-son diffuse des récits de personnes qui travaillent dans l'industrie du cinéma et de la radio à Hong Kong et ont été témoins d'apparitions paranormales sur des plateaux de tournage. Les histoires surgissent des à-côtés du cinéma, s'échappant de la salle et de l'image pour apparaître dans l'espace du dispositif et imposer leur densité narrative. Mais la porte pour y accéder, discrète, pouvait passer inaperçue et le spectateur rester en dehors de l'œuvre. Un moyen de mettre en avant l'acte mental nécessaire à la saisie du sens artistique, s'opposant à l'immédiateté du rapport aux images projetées. Un fonctionnement que l'on retrouve dans *HAARP*, où la présence imposante des dix-huit antennes est contrebalancée par le silence dont on ne sait s'il est le signe d'une inactivité réelle ou de façade. L'installation sculpturale ne vient pas insister sur le pouvoir immersif de la vidéo mais se maintient dans un écart énigmatique, et gêne même la circulation du spectateur face aux images. Laurent Grasso met à l'épreuve la force du visible en lui opposant la part d'inconnu, d'inaccessible, de supposé des expériences militaires comme artistiques.

Si les sculptures et les images attirent d'emblée les regards, le spectateur est rapidement arrêté, son attention perturbée, ses pas sont déviés. Il ne sait plus ni où il lui faut se situer pour voir ni quelle est la nature, réelle ou irréelle, de ce qui lui est donné à voir. La question de la croyance est centrale, car, sans jouer de l'illusion, les œuvres introduisent une dimension magique qu'il appartient au spectateur d'accepter ou de refuser. La réception des images a lieu ainsi dans l'esprit et non dans le corps, et si les dispositifs proposent parfois des états de fascination troublant les repères sensoriels, leurs effets sont chaque fois mis à distance. Le phénomène de temps suspendu ressenti bien souvent dans l'expérience esthétique, encouragé par la mise en boucle de la vidéo, est interrompu par la présence d'objets sculpturaux désamorçant la croyance. Dans *1619* (2007) par exemple, un morceau de mur anéchoïde, aux propriétés anti-statiques et insonorisantes, fait face au spectacle éblouissant d'une aurore boréale, annihilant symboliquement ses effets. L'expérience artistique chez Laurent Grasso se construit dans cet entre-deux, jouant avec le désir du spectateur d'y croire, de se laisser happer par l'image, tout en le ramenant dans le réel de sa présence dans l'espace d'exposition. L'interruption et le suspens de la projection mentale font partie d'une stratégie de mise en mouvement du regard et de la pensée [3].

DES DISPOSITIFS DE REGARD ET DE CROYANCE

Le travail et les textes de Dan Graham autour des architectures de la représentation au théâtre et au cinéma, analysant leurs liens avec une organisation politique du visible, éclairent une dimension centrale de l'œuvre de Laurent Grasso. Le questionnement des postures de perception et des croyances qu'elles rendent possible traverse en effet le travail de ces deux artistes. Dans sa réflexion sur les architectures théâtrales de style baroque, Dan Graham montre comment la construction de la mise en scène répond à un point de vue unique, central et surélevé, qui est celui de la loge du roi. C'est le prolongement d'une gestion des regards mise en place par Louis XIV avec sa cour, où « le roi devient l'auteur, le metteur en scène et l'acteur principal d'une fiction théâtrale permanente, qu'il a montée pour renforcer une hiérarchie bureaucratique compliquée, fondée sur les codes du protocole de cour. » [4] Alors qu'il termine ses études, Laurent Grasso réalise une série photographique sur des croyants dans des églises. Centrées sur des corps face aux architectures de prière, ces images en noir et blanc s'attachent à mettre en avant la manière dont les postures des fidèles s'inscrivent dans une tradition religieuse et sociétale. Mains jointes et regard figé dans une perspective unique, les hommes et femmes qu'il a photographiés paraissent complètement absorbés dans une expérience religieuse. Décryptant par l'image le fonctionnement entre un lieu, un corps et un état de conscience, Laurent Grasso pose les bases du rejet des formes de l'immersion qui caractérise son travail. Ses pièces se trouvent sur les lieux de l'illusion mais en creusant un écart, en introduisant du doute, en incitant à changer de place, à se détacher de l'état de fascination initial et à découvrir d'autres strates de l'œuvre. L'analyse photographique des postures de croyance rejoint l'exploration ultérieure d'éléments architecturaux faisant partie d'une surveillance généralisée, attribuant des places figées aux corps individuels et collectifs qui deviennent ainsi inconsciemment des pivots du fonctionnement normé des sociétés contemporaines.

La distance prise avec le pouvoir de l'image et le rôle attribué à la circulation des regards pose ainsi les fondements d'une gestion de l'espace où les installations articulent des parcours multiples. Souvent, des sculptures doublent la représentation, instaurant du doute en montrant l'objet hors du contexte du film : un élément rocheux pour *The Silent Movie* (2010), le réseau d'antennes de *HAARP* ou la sphère géodésique de Buckminster Fuller [5] au cœur du film *1619*. Tous viennent déplacer le regard dans l'espace et introduire d'autres réseaux de sens prenant appui sur une réflexion autour des structures de la perception. Au-delà de l'onirisme d'un vol d'étourneaux dans le ciel de Rome [6] ou de l'impression vertigineuse du surgissement d'oiseaux dans une forêt [7], la confrontation à des structures imposantes, à des inscriptions lumineuses intrigantes, à des peintures au style emprunté à l'histoire installe une réflexion sur les fonctionnements de la vision et sur les manipulations dont elle est facilement l'objet.

DES EXPÉRIENCES CONTRADICTOIRES

L'avancée dans l'œuvre de Laurent Grasso se fait dans un mouvement non linéaire, dans des allers-retours permanents. L'agencement de l'espace participe complètement de l'œuvre, en délimitant des parcours, qui maintiennent une mobilité du regard. Des rétro-projections multiplient les points de vue sur un même film, des couloirs symétriques introduisent des impressions vertigineuses [8] tandis qu'ailleurs la diffusion d'infra-basses dans une salle blanche perturbait les repères spatio-temporels [9]. Les propositions architecturales ont pris une grande importance ces dernières années, à travers des projets de postes d'observation et d'écoute, comme celui qui fut installé sur le toit du Palais de Tokyo, à Paris (*NOMIYA*, 2009). La filiation avec Dan Graham s'affirme là plus clairement : comme dans *Present, Continuous, Past(s)* (1974) ou dans la série des *Pavilions*, les modules de Laurent Grasso articulent le regard sur l'extérieur avec une expérience temporelle. Proposant une réflexion sur le rapport d'un corps à une architecture et sur les conditions de l'expérience humaine, creusant la relation entre espace intérieur (mental) et extérieur, ces œuvres amènent le spectateur à prendre pleinement conscience de sa situation au sein d'un partage du visible et de sa participation à une circulation collective des regards.

Le *Project 4 Brane* est emblématique de cette idée. Espace mobile de diffusion vidéo destiné à être installé dans divers lieux d'exposition, il se présente au premier abord comme un monolithe sombre, réfléchissant, proche des œuvres minimalistes. L'impact sculptural du *Project 4 Brane* peut rendre invisible la découpe de la porte d'entrée, et le spectateur court le risque de s'éloigner sans avoir aperçu les ombres qui se mélangeaient à son propre reflet. En revanche, une fois installé à l'intérieur, il ne peut plus oublier qu'il fait partie d'une exposition et qu'il est à la fois sujet et objet de regard. Contrairement aux *Black Box*, le *Project 4 Brane* ne reproduit pas l'organisation de la salle de cinéma invitant à s'extraire du monde pour plonger dans la fiction. Il inscrit l'expérience filmique dans un dialogue spatial et temporel avec l'exposition, maintient le lien entre le spectateur et l'extérieur, retrouvant des problématiques présentes dans le projet d'une salle de cinéma auquel Dan Graham a travaillé à plusieurs reprises à partir de 1981 (*Cinema*). Pensées pour le rez-de-chaussée d'un immeuble de bureaux en verre new-yorkais, ses parois devaient être constituées de miroirs sans tain. Lorsque la salle aurait été allumée, le spectateur aurait pu apercevoir l'espace de la rue et s'asseoir tout en ayant conscience de sa présence dans un espace ouvert sur le dehors. À l'inverse, durant la projection, les spectateurs auraient été visibles aux yeux des passants. Dan Graham cherchait ainsi à créer un nouveau genre de cinéma inscrit dans la ville, articulant l'expérience fictionnelle avec une conscience du contexte. Il proposait de repenser les structures architecturales et symboliques de la projection cinématographique en impliquant le spectateur dans le présent de ses relations au monde et à autrui.

Avec le *Project 4 Brane*, Laurent Grasso retrouve ces enjeux mais en montrant, comme le titre l'indique, comment les deux logiques d'immersion et de distanciation se contredisent et peinent à s'appliquer ensemble. Le titre renvoie en effet à la théorie des cordes, qui est une tentative vouée à l'échec de faire dialoguer deux systèmes, la relativité générale et la physique quantique, qui ont tous deux révolutionné la recherche scientifique. Comment inviter le regard dans une expérience de vision le projetant dans un espace fictionnel tout en le maintenant ancré dans le lieu de l'exposition ? Comment résoudre la contradiction entre la temporalité du récit imaginaire et celle du moment de la réception ? Cette problématique, héritière des années 1960 et de l'introduction de l'œuvre dans le présent et le lieu de l'exposition, est centrale aujourd'hui dans le champ de la création vidéographique [10]. En insistant sur les dispositifs, en installant les regards dans un va-et-vient permanent entre des espaces et temporalités irréductibles, les œuvres de Laurent Grasso s'adressent à la pensée et lui proposent de vivre une expérience esthétique construite sur des registres contradictoires. L'influence de Marcel Duchamp est importante, et en particulier ses recherches sur la quatrième dimension au cœur, par exemple, de la composition du *Grand Verre* (1915-1923). Mais c'est surtout *Mile of String* (1942) qui nous intéresse ici. Pour le vernissage de l'exposition *First Papers of Surrealism* organisée par André Breton, à New York en 1942, Marcel Duchamp tendit une multitude de ficelles dans l'espace et convia des enfants à venir jouer au ballon, empêchant littéralement les spectateurs de voir les peintures. Avec humour, il créa un dispositif d'empêchement de la vision, contrariant les postures habituelles à partir desquelles l'œuvre d'art est appréciée. L'intérêt de Marcel Duchamp pour le spiritisme et l'ésotérisme, très en vogue à cette époque, et pour les recherches scientifiques et littéraires menées autour de la quatrième dimension [11] incite aussi à comprendre cette intervention comme une tentative de bloquer la déambulation du spectateur pour l'amener à développer d'autres sensibilités pour accéder à l'œuvre. Au-delà de l'effet provocateur d'une telle intervention en 1942, *Mile of String* désigne l'espace d'exposition et met à distance la prédominance de la perception visuelle dans l'expérience de l'art en insistant sur le tactile et le sonore, sur le poids du jeu et sur l'investissement cérébral. Le spectateur est invité à se projeter dans la quatrième dimension, à l'imaginer en prenant de la distance avec ses repères spatio-temporels habituels, à saisir l'étendue du monde [12]. Le *Project 4 Brane* interroge lui aussi la difficulté pour la vidéo de s'inscrire dans la temporalité et le lieu de l'exposition sans s'isoler, à faire coexister les différentes dimensions. Il met en scène la relation contradictoire du spectateur aux œuvres, faite d'immersion et de suspens, qui relève peut-être de l'ordre de cette sensation tactile de l'étendue dont Duchamp cherchait à créer les conditions de l'expérience.

DES DISPOSITIFS PERSPECTIVISTES

Laurent Grasso a conçu ces dernières années plusieurs dispositifs empruntant à l'histoire des instruments de vision, rompant avec l'image numérique pour retrouver des procédés de représentation archaïques. L'association des deux provoque ainsi des ruptures, troublant encore davantage les frontières entre le réel et le virtuel, entre le possible et le fantastique. En 2008 dans l'exposition *Neurocinéma*, il installe dans le grenier du musée de Rochechouart une *camera obscura* à côté du *Project 4 Brane*. Le procédé consiste à produire une image inversée de la réalité, reproduisant le fonctionnement de l'œil. La taille imposante de la pièce lui donne une forte présence dans l'espace, de façon excessive par rapport à la simplicité de l'opération de représentation. La *camera obscura* convoque une histoire scientifique qui s'est attachée à objectiver la vision, ramenant la complexité du phénomène optique à une organisation géométrique de faisceaux lumineux. Cette conception, dont on trouve les prémices chez Aristote, s'est développée avec l'adoption de la perspective comme forme symbolique. L'intérêt de Laurent Grasso pour le cône et pour des constructions architecturales affirmant une approche rigoureuse et géométrique de la vision s'enracine dans une histoire des idées qui renvoie à la figure de Descartes. Passionné par l'optique, Descartes a développé dans ses textes philosophiques une méthodologie, dont a hérité la science moderne, fondée sur un recours à l'expérience au sein d'un appareil logique maîtrisé. Il aborde la nature humaine à partir du modèle géométrique, et le principe de la lentille grossissante ou celui de la *camera obscura* font partie d'une compréhension mécanique du fonctionnement de l'œil [13]. La perception de l'architecture de *Neurocinéma* fait écho à ces conceptions : le *Project 4 Brane* réfléchit sur ses parois les murs du grenier, structurant l'espace par un effet de dédoublement, la *camera obscura* offre au regard une vision maîtrisée du paysage, et les enceintes diffusent du son à partir de la forme optique du cône. Tous les sens se structurent à partir d'un modèle géométrique qui met le monde à distance, prolongeant la découpe en losange des fenêtres du grenier, qui impriment leur cadre sur le paysage. Le bâtiment date du XVIIe siècle, il est donc contemporain de Descartes, d'une époque où, on le voit, s'affirme le rôle du quadrillage mental sur la représentation du monde.

L'impact de l'utilisation de ces outils perceptifs divisant et contenant le réel, que l'on retrouve dans des architectures et des dispositifs mettant en place une surveillance des corps individuels et collectifs grâce à une intériorisation du contrôle, a été longuement analysé par Michel Foucault [14] puis par Giorgio Agamben [15]. Face aux effets de dépossession de soi, de désubjectivation du regard dont ils sont porteurs, Laurent Grasso réactive des formes historiques d'une distanciation éloignant toujours davantage l'individu de la réalité du monde. Plutôt que de chercher à résoudre l'écart, il l'affirme et l'expose, nous ramenant encore à la question de la scission entre le corps et l'esprit. Un enregistrement d'oiseaux réalisé dans le parc du musée de Rochechouart, diffusé dans les enceintes, rappelait ainsi que la fenêtre, même si elle ouvre l'architecture vers l'extérieur, installe un rapport au monde dominé par la vision et par ses limites. La question de cette posture hégémonique, qui traverse l'ensemble de l'œuvre de Laurent Grasso, est liée aussi à une réflexion sur le cinéma comme art du cadrage, séparant champ et hors champ. L'autre possibilité proposée n'est pas un éclatement de la perception comme on peut le voir chez d'autres artistes utilisant la vidéo, souvent grâce à une multiplication des caméras et des écrans pour complexifier et amplifier la perception, mais une percée au sein même de l'instrument de vision qui vient perturber son statut. Dans de nombreuses pièces de Laurent Grasso, les parois sont perforées, les vitres font miroirs ou les cônes optiques deviennent des enceintes. Ces transferts jettent le trouble sur des fonctionnements perceptifs et participent d'une mise en cause des répartitions des rôles dans la structuration du réel.

On retrouve cette idée dans l'*Anechoic Pavilion*, installé dans le parc du donjon de Vez [16]. Après une balade dans les bruits et l'atmosphère de la forêt, le promeneur pénètre un espace insonorisé mais ouvert sur le paysage par une grande surface vitrée rappelant la forme de la *camera obscura*. La structure anéchoïde insiste sur l'isolement sonore du spectateur, dont certains sens sont suspendus au profit d'une plongée dans une image structurée du paysage, sans qu'aucun phénomène paranormal n'advienne. Si le rapport à la nature est récurrent chez Laurent Grasso, ce n'est certes pas pour son image de virginité perdue ou enfouie, mais pour sa capacité à installer un état de rêverie propre à mener, comme chez Descartes supposant qu'il s'est endormi près du feu, au doute et aux intuitions premières [17]. Le dispositif devient alors l'outil du basculement méthodique, introduisant le doute dans ce qui est considéré comme réel, invitant à traquer l'illusion dans les vérités admises. Le spectateur est gardé dans un état de rêve éveillé évoquant également le cinéma, mais un cinéma comme celui qu'avait imaginé Dan Graham, où la plongée dans la fiction maintient une conscience de la situation perceptive. L'enjeu n'est pas de freiner le processus immersif et d'encourager une distanciation des émotions, mais d'interroger ce qui fait la cohésion du sujet. L'âge de la Renaissance a imposé la règle du regard droit et frontal comme pivot de l'objectivité, ce que questionne la perspective exagérée de l'architecture de l'*Anechoic Pavilion*. L'œuvre met le visiteur en retrait du monde et lui offre une image construite du réel, affirmant sa dimension mentale, ouvrant l'espace du doute. Il a la sensation d'un espace qui s'agrandit, d'un champ visuel qui déborde de ses cadres. L'écart mis en scène renvoie à la séparation que les dispositifs de la vie quotidienne mettent au centre de la « subjectivité occidentale, tout à la fois scindée et pourtant maîtresse et sûre d'elle-même », comme l'analyse Giorgio Agamben [18].

LES ARCHITECTURES DE LA CONNAISSANCE

Laurent Grasso poursuit sa réflexion sur ce que l'humain parvient à percevoir et comprendre du monde en s'intéressant à des astronomes célèbres qui ont consacré leur vie à essayer de découvrir ce qui échappe à la vision et structure pourtant l'existence terrestre. Dans l'exposition *Portrait of a Young Man* du Bass Museum de Miami, en 2011, il rend ainsi hommage à Galilée, en reprenant dans *1610* (2011) le dessin d'une constellation de son livre *Sidereus Nuncius*, où est exposée la théorie de la terre tournant autour du soleil, en inscrivant au néon la date 1619, année où Galilée a utilisé pour la première fois le terme aurore boréale [19], et en montrant la vidéo du vol d'étourneaux au-dessus du Vatican [20]. Ces trois pièces mettent en scène la distance temporelle, quatre cents ans, qu'il a fallu à l'Église pour reconnaître le bien-fondé de la position défendue par Galilée, faisant écho au temps mis par la luminosité d'une étoile pour être visible par l'homme. Elles renvoient ainsi à la double disposition, optique et mentale, nécessaire pour être capable de voir une vérité, tout en insistant sur sa relativité temporelle puisqu'elle peut à la manière d'une étoile briller encore alors même qu'une révolution scientifique en a modifié le statut. Un changement de paradigme peut, il est vrai, faire basculer des certitudes dans le doute, comme lorsque la révolution copernicienne, en renversant la position de l'humain face à l'Univers, a mis en question le paradigme symbolique de la perspective dans l'organisation de la connaissance [21]. Si l'œuvre de Laurent Grasso nous plonge souvent dans la Renaissance, se réappropriant même certaines de ses peintures dans la série des *Studies into the past*, c'est pour mettre en scène un héritage historique qui a ancré les systèmes de pensée, même dans les pays qui n'ont pas vécu directement cette période. La collaboration avec le Bass Museum le révélait clairement puisque les œuvres étaient exposées au sein d'une scénographie classique (murs peints en rouge, atmosphère lumineuse feutrée, accrochage linéaire) avec des pièces choisies par l'artiste dans la collection du musée. L'ensemble témoignait du fort attachement de la civilisation américaine à une dimension historique réappropriée et mise au centre des architectures de la connaissance et du partage de croyances collectives. La présence d'une maquette de l'antenne Horn [22] insistait sur cette réflexion en évoquant un dispositif scientifique installé en 1964 dans le New Jersey pour capturer les ondes radios émises sur terre et qui aurait par hasard enregistré un fossile sonore datant du Big Bang. Au-delà du pouvoir attrayant de cette idée, la réduction de la sculpture insiste sur la proximité de sa forme avec les instruments optiques du XIXe siècle, les plaçant dans la continuité du développement des activités de surveillance du réel. Avec cette exposition, Laurent Grasso encourage à la profanation appelée par Giorgio Agamben pour désacraliser des dispositifs qui soutiennent une conception de la connaissance fondée sur un point de vue unique, sur la transparence et l'omniscience, transformant les sociétés démocratiques en États de surveillance généralisée.

(1) *L'Encyclopédie, ou Dictionnaire raisonné des sciences, des arts et des métiers* est un projet collectif mené par Denis Diderot et Jean Le Rond d'Alembert entre 1751 et 1772.

(2) Le parc, situé à Bomarzo dans la province de Viterbe, a été construit par Vicino Orsini vers 1550.

(3) Ce que Marie-José Mondzain décrit très clairement dans *Images (à suivre)* : « Il y a une paralysie nécessaire pour que la mise en mouvement soit enfin inattendue et au meilleur de sa turbulence. Méduser, c'est mettre le sujet en suspens, suspendre le cours trop fluide de ses attentes et de ses habitudes pour lui remettre en main propre son pouvoir d'orientation » (Paris, Bayard, 2011, p. 79).

(4) *Dan Graham, Œuvres, 1965-2000*, Paris, Musée d'art moderne de la Ville de Paris, 2011, p. 216.

(5) Richard Buckminster Fuller, architecte américain (1895-1983), est connu pour être l'inventeur des sphères géodésiques, dont la première fut construite pour le pavillon américain lors de l'Exposition universelle de Montréal, en 1967.

(6) *Les Oiseaux*, 2008.

(7) *Horn Perspective*, 2009.

(8) Institut d'art contemporain, Villeurbanne, 2007.

(9) Printemps de Septembre, 2002.

(10) Voir à ce sujet *On stage. La dimension scénique de l'image projetée*, Mathilde Roman, Blou, Le Gac Press, 2012.

(11) Il se réfère aux écrits du mathématicien Poincaré et au roman d'anticipation de Gaston Pawlovski *Voyage dans la quatrième dimension*, 1912.

(12) « Chaque corps 3 *dsml.* ordinaire, encrier, maison, ballon captif est la perspective portée par de *nombreux* corps 4 dmsls sur le milieu 3 dsml », dans « À l'infinitif ‹Boîte blanche› », *Duchamp du signe*, Marcel Duchamp, Paris, Flammarion, « Champs », p. 135.

(13) Voir « La dioptrique », René Descartes, *Discours de la méthode*, 1637, Paris, Garnier-Flammarion, 1966.

(14) Michel Foucault, *Surveiller et punir, Naissance de la prison*, Paris, Gallimard, 1975.

(15) Giorgio Agamben, *Qu'est-ce qu'un dispositif ?*, Paris, Rivages, « Poche/Petite Bibliothèque », 2006.

(16) Donjon de Vez, dans le cadre de l'exposition *Small, medium, large*, 2011.

(17) Voir *Les Méditations métaphysiques* de René Descartes, 1641, Paris, Garnier-Flammarion, 1993.

(18) Agamben, *op. cit.*, p. 42.

(19) *1619* est aussi le titre d'une vidéo de Laurent Grasso, où l'on voit une aurore boréale.

(20) *Les Oiseaux*, 2008.

(21) « Dans la perspective, on verra, ça montre, et même ça démontre. Au point que l'emprise du paradigme se soit fait sentir bien au-delà du domaine régional où il s'est d'abord imposé (celui de la peinture), et sans qu'il ait rien perdu à ce jour de son pouvoir d'information, ni de sa puissance de sollicitation » (Hubert Damisch, *L'Origine de la perspective*, 1993, Paris, Flammarion, « Champs », p. 17).

(22) Laurent Grasso avait reproduit l'antenne Horn à l'échelle 1 dans l'exposition *The Horn Perspective*, à Paris, au Centre Pompidou — Musée national d'art moderne, en 2009.

MATHILDE ROMAN

SUSPENSE APPARATUSES

CEREBRUM EST IN CAPITE

In the eighteenth century, in the *Encyclopédie*, [1] Diderot and d'Alembert defined the body in terms of a machine, describing it as an automaton with complex workings. This vision of human life based on the model of the clock was reductive, although it did spawn a vein of Romantic fantasy literature inspired by the idea of bodies capable of continuing to exist autonomously after life. The invention of the guillotine, not long afterwards, greatly stimulated this imaginary vision, applying the conception of the body as a mechanism in a terrifying way. Killing became a simple action of shattering vital unity by severing the head from the trunk. This raised the question of the seat of the soul: in which part of the body did it take refuge at the moment of the last breath, and what did it become? Hence a whole host of beliefs in post-mortem existence.

In *Bomarzo* (2011), Laurent Grasso explores Count Orsini's Sacred Wood, [2] a mysterious park of grotesque sculptures built in Italy during the Renaissance and rediscovered by the surrealists. A voice-off accompanies the exploration and reads an inscription carved in the stone, "Cerebrum est in capite": the brain is in the head. This idea was expressed well before the invention of the guillotine, but while it argues for the grounding of consciousness in the most noble and rational part of the body, it accompanied the creation of some very extravagant sculptures. In this wood Grasso finds an echo of his own artistic approach, in which the mental image precedes the body, while remaining a place of unreason. The attention that he devotes to scientific research thus flows into the idea that the strongest beliefs in the supernatural arise precisely from the most rational attempts to apprehend the world. The Orsini garden is full of fantastical presences, of disturbing imaginary figures that open the doors of the unknown. The affirmation of the head's role as place of thought does not lead to universes that are controlled but towards the overflow of the unconscious. In the same way, Laurent Grasso uses instruments of measurement and transmission apparatuses — inventions that attest to man's capacity to rationalize and control the course of events and processes of life, in order to show the excesses that they entail, flirting with the irrational while remaining in the field of the possible.

DISPLACEMENTS AND DISTORTIONS

If Grasso is interested in radio and satellites, it is as receptacles of the real in which images, sounds and apparitions come together and challenge a conception of the visible as something transparent. The will to master all communication, to penetrate the deepest secrets, to infiltrate areas of shadow in order to reduce the world to one great, perfectly organized grid fails in its very aspiration to omniscience. Interference, accidents and cracks always come into play, as inexhaustible sources of inspiration for science fiction. Grasso's work is rooted in mental perceptual experiences supported by a belief in the primacy of reason over the body, but reason that is constantly confronted with incomprehensible phenomena. Several pieces thus put into play tools for capturing the real and its images, combining apparatuses for capture and emission which question the relations to the world that they engender. Whether in *Radio Ghost* (2003) or *HAARP* (2009), the viewer moves between two extremes of transmission: between a projection cabin and a cinema screen, between the sculptural reproduction of a military and scientific base for modifying the ionosphere and a video showing a natural phenomenon that was engineered. Successive movements between the cabin and the screen bring out the way a mental image is constructed and the unknown elements that emerge from the places of production. In *Radio Ghost*, the initial perception goes deep into an aerial view of the city of Hong Kong. On the way out of the exhibition a door draws attention to the place from which the projection is coming. There a soundtrack features the tales of people who work in the cinema and radio industries in Hong Kong and who witnessed paranormal phenomena in the studios. The stories emerge from the margins of cinema, escaping from the theatre and the image and appearing in the space of the apparatus, where they impose their narrative density. But the door leading to them is discreet and could easily go unnoticed, leaving the viewer outside the work. This is a way of highlighting the mental action needed in order to grasp artistic meaning, which stands in contrast to the immediacy of the relation to the projected images. This way of functioning recurs in *HAARP*, where the imposing presence of eighteen antennae is offset by the silence, betokening an inactivity which — we cannot tell — may be either real or only on the surface. The sculptural installation does not overly insist on the immersive power of video, but maintains itself in an enigmatic apartness, and even hampers the viewer's movement in relation to the images. Grasso tests the power of the visible by opposing the unknown, inaccessible and necessarily hypothetical dimension of experiences both military and artistic.

If the sculptures and images immediately draw the gaze, the viewer is soon stopped, his attention perturbed and steps diverted. He no longer knows where to position himself to see, nor whether what he is given to see is real or unreal. The question of belief is central, for, without playing on illusions, the works introduce a magical dimension that it is up to the viewer to accept or refuse. The reception of the images thus occurs in the mind and not in the body, and if the pieces sometimes offer states of fascination that are sensorially disorienting, their effects are always distanced. The sense of suspended time that is often part of aesthetic experience, encouraged by the looping of the video, is interrupted by the presence of sculptural objects that undermine belief. In *1619* (2007), for example, a section of anechoic wall, which has antistatic as well as soundproofing qualities, faces the dazzling spectacle of an aurora borealis, symbolically annulling its effects. With Grasso the artistic experience is constructed in this intermediary zone, playing on the viewer's desire to believe, to let himself be drawn in by the image, while bringing it into the reality of their presence in the exhibition space. The interruption and suspension of mental projection are part of a strategy for setting the gaze and thought in motion. [3]

APPARATUSES OF SEEING AND BELIEVING

Works and texts by Dan Graham pertaining to the architectures of representation in the theatre and cinema, analyzing their links with a political organization of the visible, shed light on a central dimension of Grasso's work. For the questioning of the positions of perception and belief that these make possible is something that runs through the work of both artists. In his reflection on baroque theatrical architecture, Graham shows how the construction of the staging corresponds to a single, central and raised viewpoint, that of the king's box. It is an extension of the management of gazes put in place by Louis XIV at his court, where "the king becomes the author, director and main actor in a permanent theatrical function, which he mounted in order to reinforce a complex bureaucratic hierarchy founded on courtly codes of protocol." [4] When still finishing his studies, Laurent Grasso made a photographic series on believers in churches. Centring on bodies in their relation to these structures of worship, these black-and-white images set out to emphasize the way in which the positions of the faithful fit into a religious and societal tradition. Hands pressed together and gaze fixed in a single direction — the men and women he photographed seem to be completely absorbed in a religious experience. Using the image to decipher the relation between a place, a body and a state of consciousness, Grasso laid the foundation for the rejection of immersion that is characteristic of his work. His pieces stand on the place of illusion, but open up a gap by introducing doubt, impelling us to change position, to get away from our initial state of fascination and discover other strata of the work. The photographic analysis of the postures of belief connects with the later exploration of architectural elements that are part of a generalized surveillance system, assigning fixed positions to individual and collective bodies, which thus unconsciously become pivotal to the standardized functioning of contemporary societies.

The distancing of the power of the image and the role attributed to the circulation of gazes thus lays the foundations of a management of space in which installations articulate multiple paths. Often, sculptures redouble the representation, instituting doubt by showing the object outside the context of the film: a rocky element for *The Silent Movie* (2010), the HAARP network of antennas and the geodesic dome by Buckminster Fuller [5] at the heart of the film *1619*. All displace the gaze in space and introduce other networks of meaning, drawing on a reflection on structures of perception. Beyond the oneiric quality of a flight of starlings in the sky over Rome [6] or the vertiginous impression of birds emerging en masse from a forest, the confrontation with imposing structures, with intriguing luminous inscriptions, with paintings in historical styles, sets up a reflection on the workings of vision and on the manipulations to which it can so easily be subjected. [7]

CONTRADICTORY EXPERIENCES

We enter Grasso's work in a non-linear movement, a series of permanent back-and-forth movements. The organization of the space is an integral part of the work, in that it delimits the movements that maintain the mobility of the gaze. Retroprojections multiply points of view on a given film, symmetrical corridors introduce vertiginous impressions [8] where, elsewhere, infra-bass sounds in a white room perturb the sense of time and space. [9] Architectural propositions have very much come to the fore in recent years, notably in projects involving observation and listening stations such as the one installed on the roof of the Palais de Tokyo in Paris (*NOMIYA*, 2009). Here, the connection with Dan Graham becomes even clearer: as in *Present,*

Continuous, Past(s) (1974) or the series of *Pavilions*, Grasso's modules articulate the gaze outward with an experience of time. Proposing a reflection on a body's relation to an architectural structure and on the conditions of human experience, digging deep into the relation between interior (mental) and external space, these works make the viewer fully aware of his position within a distribution of the sensible and his participation in a collective circulation of gazes.

Project 4 Brane is emblematic of this idea. A mobile space of video projection to be installed in various exhibition spaces, it initially comes across as a dark, reflective monolith closely related to certain minimalist works. The sculptural impact of *Project 4 Brane* may make the outline of the entrance door invisible, and there is a risk that the viewer will move away without seeing the shadows mixing with his own reflection. However, once settled inside, he cannot forget that he is both a subject and object of the gaze. Unlike the *Black Box*, *Project 4 Brane* does not reproduce the organization of the movie theatre, which encourages us to escape from the world and immerse ourselves in fiction. It inscribes the filmic experience in a spatial and temporal dialogue with the exhibition, maintaining the connection between the viewer and the exterior, returning to some of the questions addressed in the movie theatre project that Dan Graham worked on several times after 1981 (*Cinema*). Conceived for the ground floor of a glass office building in New York, its sides were to be made of one-way mirrors. When the room was lit, viewers would have been able to see the space of the street while being aware of their presence in a space open onto the outside. Conversely, during the projection, viewers would have been visible to passersby. Graham was thus trying to create a new kind of cinema inscribed in the city, articulating fictional experience with an awareness of context. He proposed to rethink the architectural and symbolic structures of cinematographic projection by implicating the viewer in the present of his relations to others.

With *Project 4 Brane*, Grasso returns to these questions while, as the title indicates, showing how the respective logics of immersion and distancing contradict each other and therefore struggle to fit together. The title is in fact a reference to string theory, which is an attempt — one doomed to failure — to set up a dialogue between two systems, general relativity and quantum physics, both of which revolutionized scientific research. How is one to make the gaze enter an experience of vision that projects it into a fictional space while keeping it anchored in the exhibition space? How does one resolve the contradiction between the temporality of the imaginary narrative and that of the moment of reception? This problematic, inherited from the 1960s and the introduction of the artwork into the present and the place of the exhibition, occupies a central position today in video art. [10] By putting the emphasis on the apparatus, by installing gazes in a permanent back-and-forth between irreducible spaces and temporalities, Grasso's works address themselves to thought and propose an aesthetic experience built on contradictory registers. The influence of Marcel Duchamp is significant here, and in particular his research into the fourth dimension, which is at the heart, for example, of the composition of *The Large Glass* (1915–23). However, it is *Mile of String* (1942) that really interests us in this context. For the private view of the *First Papers of Surrealism* exhibition organized by André Breton in New York in 1942, Duchamp stretched a multitude of pieces of string out in the space and invited children in to play ball, preventing viewers from seeing the paintings. Thus he humorously created an apparatus for preventing vision, countering the usual positions from which a work of art is appreciated. Duchamp's interest in spiritism and esotericism, which were very fashionable at the time, and in scientific and literary research into the fourth dimension, [11] suggests that this intervention can be read as an attempt to block viewers' movements in order to encourage them to develop other sensibilities for accessing the work. Beyond the provocativeness of such an intervention in 1942, *Mile of String* also designates the exhibition space and placed visual perception in the experience of art at a distance by insisting on the tactile and the aural, on the weight of play and on cerebral engagement. The viewer was invited to project himself into the fourth dimension, to imagine it while assuming a distance with regard to his usual spatiotemporal bearings, and to grasp the extent of the world. [12] *Project 4 Brane* also questions the difficulty for video of finding a place in the temporality of the exhibition space, without becoming isolated, but in making different dimensions coexist. It enacts the viewer's contradictory relation to the works, which is made up of immersion and suspension, and which perhaps has to do with this tactile sensation of extent that Duchamp tried to create suitable conditions for experiencing.

PERSPECTIVIST APPARATUSES

In recent years Grasso has conceived several apparatuses drawing on the history of instruments of vision and breaking with the digital image to return to older procedures of representation. The association of the two brings about ruptures, further blurring the frontiers between the real and the virtual, between the possible and the fantastic. In 2008, for the *Neurocinéma* exhibition, he installed a camera obscura next to *Project 4 Brane* in the attic of the contemporary art museum in Rochechouart. The procedure involved producing an inverted image of reality, reproducing the workings of the eye. The imposing size of the room gave it a powerful spatial presence, exceedingly so in relation to the simplicity of the operation of representation. The camera obscura invokes the history of scientific attempts to objectify vision, reducing the complexity of the phenomenon to the geometrical organization of light beams. This conception, the beginnings of which are to be found in Aristotle, developed when perspective was adopted as a symbolic form. Grasso's interest in the cone and in architectural constructions embodying a rigorous, geometrical approach to vision is rooted in a history of ideas that goes back to Descartes, who was fascinated by optics. In his philosophical texts, he developed a methodology that was taken up by modern science, based on the reference to experience within a controlled logical system. He approached human nature in relation to the geometrical model, and the principles of the enlarging lens and the camera obscura are part of a mechanical understanding of the workings of the eye. [13] The way the architecture of *Neurocinéma* was perceived echoed these conceptions: the walls of the attic were reflected on the sides of *Project 4 Brane*, structuring the space by an effect of duplication, while the camera obscura offered a controlled vision of the landscape, and sound came from speakers in the form of optical cones. The senses were structured on the basis of a geometrical model that distances the world, extending the lozenge-like form of the attic windows framing the landscape. The building dates from the seventeenth century — the century of Descartes, and a period when, as we can see, the imposition of a mental grid became increasingly prominent in the representation of the world.

The impact of the use of these perceptual tools that divide and contain the real, also found in buildings and apparatuses that set up a surveillance of individual and collective bodies thanks to an interiorization of control, has been analyzed at length by Michel Foucault [14] and, after him, Giorgio Agamben. [15] Responding to the effects of self-dispossession and desubjectivization of the gaze that they entail, Grasso is reactivating the historical forms of a distancing that has made the individual increasingly remote from the reality of the world. Rather than seeking to bridge this gap, he affirms and exhibits it, taking us back once again to the question of the scission between body and spirit. A recording of birds made in the park around the museum in Rochechouart, coming from the speakers, was a reminder that the window, while opening architecture to the outside world, also institutes a relation to the world that is dominated by vision and its limits. The question of this hegemonic position, which runs through all Grasso's work, is also linked to a reflection on cinema as an art of framing, separating what is in the frame (in camera) from what is outside it. The other possibility proposed here is not a fragmentation of perception, as can be seen in other artists using video, often thanks to a multiplication of cameras and screens to complexify and amplify perception, but a penetration of the instrument of vision which disrupts its status. In many of Grasso's pieces, panels of glass become mirrors or optical cones become speakers. These transpositions muddy perceptual processes and question the distribution of roles in the structuring of the real.

This idea can also be found in the *Anechoic Pavilion*, which Grasso installed in the grounds of the donjon de Vez. [16] After experiencing the noises and atmosphere of the forest, the visitor entered a soundproofed space that nevertheless opened onto the landscape via a large glass surface recalling the form of the camera obscura. The anechoic structure emphasized the visitor's aural isolation, the suspension of certain senses in order to achieve an immersion in a structured image of the landscape, free of any paranormal phenomenon. If the relation to nature is a recurring feature of Grasso's work, this is not because of the idea of its lost or buried virginity, but because such a relation is conducive to a pensive state that, in the image of Descartes imagining himself to have fallen asleep by the fireside, can lead us to doubt our initial sense of things. [17] The apparatus then becomes a tool of systematic reversal, introducing doubt as to what is considered real and encouraging us to hunt down the illusion in accepted truths. The viewer is maintained in a state of wakeful dreaming that also evokes cinema, but cinema of the kind imagined by Dan Graham, in which immersion in a fiction maintains an awareness of the perceptual situation. The goal is not to impede the immersive process and encourage a distancing of emotions, but to question what it is that defines the cohesion of the subject. The Renaissance established a direct, frontal mode of vision as the pivot of objectivity, a position that is called into question by the exaggerated perspective of the architecture in the *Anechoic Pavilion*. The work places the visitor in a position of withdrawal from the world, offering a constructed image of the real and affirming its mental dimension, thus opening up the space of doubt. He has the sensation of a space that is growing, of a visual field overflowing its frame. The discrepancy staged here reminds us of the separation that the apparatus of everyday life put at the centre of the "Western subjectivity," which, according to Giorgio Agamben's analysis, "both splits and, nonetheless, masters and secures the self." [18]

ARCHITECTURES OF KNOWLEDGE

In recent years Laurent Grasso has continued his reflection on the limits of human perception and understanding of the world, focusing on famous astronomers who devoted their life to trying to discover what eludes vision and yet structures earthly existence. In *Portrait of a Young Man*, his exhibition at the Bass Museum, Miami, in 2011, he thus paid homage to Galileo with his piece *1610* (2011), making a neon version of a drawing of a constellation in *Sidereus Nuncius*, the book in which the astronomer expounds his theory of heliocentrism, and also showed a neon inscribing the date 1619, which is the year when Galileo first used the term *aurora borealis*, [19] and by showing his video of a flight of starlings over the Vatican. [20] These three pieces show the temporal distance — not far short of four hundred years — that the Vatican has needed to recognize the validity of the position put forward by Galileo, echoing the time taken for the light from a star to become visible to men. They thus refer to a twofold optical and mental disposition that is needed in order to be able to recognize a truth, while emphasizing its temporal relativity since it can, like a star, still be shining even when a scientific revolution has dulled its radiance. A paradigm shift can, it is true, turn certainties into doubts, just as the Copernican revolution, which reversed man's position in relation to the universe, called into question the symbolic paradigm of perspective within the organization of knowledge. [21] If Grasso's work often takes us back into the Renaissance — even reappropriating some of its paintings in the *Studies into the past* series — it does so in order to set out a historical heritage that has founded systems of thought, even in countries that did not directly experience that particular cultural moment. The collaboration with the Bass Museum made this quite clear: the works were exhibited in a classical type of display (walls painted red, low lighting, linear hanging) involving pieces chosen by the artist from the museum collection. The ensemble reflected American civilization's strong attachment to a reappropriated historical dimension, placed at the centre of architectures of knowledge and the sharing of collective beliefs. The inclusion of a model of the Horn antenna [22] underscored this idea by evoking a scientific apparatus installed in New Jersey in 1964 to pick up radio emissions from the outer reaches of the galaxy, and which happened to record a sound fossil dating from the Big Bang. Beyond the simple attractiveness of this idea, the reduced scale of the sculpture helped bring out its formal closeness to the optical instruments of the nineteenth century, placing these within a continuous development in the activity of surveying the real. In this exhibition, Grasso encouraged the profaning approach advocated by Giorgio Agamben in an attempt to desacralize these apparatuses, which support a conception of knowledge based on a single viewpoint, on transparency and omniscience, transforming democratic societies into states of universal surveillance.

Translated by Charles Penwarden

(1) *L'Encyclopédie, ou Dictionnaire raisonné des sciences, des arts et des métiers* was a collective undertaking directed by Denis Diderot and Jean Le Rond d'Alembert between 1751 and 1772.

(2) The park, located in Bomarzo in the province of Viterbo, was built by Vicino Orsini in around 1550.

(3) Marie-José Mondzain describes this very clearly in *Images (à suivre)*: "A paralysis is needed for the putting into motion to at last be unexpected and its most turbulent. To mesmerize is to put the subject in suspense, to suspend the all too fluid course of their expectations and habits in order to hand back to them their own power of orientation" (Paris: Bayard, 2011, 79).

(4) *Dan Graham, Œuvres, 1965-2000* (Paris: Musée d'art moderne de la Ville de Paris, 2011), 216.

(5) Richard Buckminster Fuller is an American architect (1895–1983) best known as the inventor of geodesic domes, the first of which was built for the American pavilion at Expo 67 in Montreal.

(6) *Les Oiseaux*, 2008.

(7) *Horn Perspective*, 2009.

(8) Institut d'art contemporain, Villeurbanne, 2007.

(9) Printemps de Septembre, 2002.

(10) See my *On stage. La dimension scénique de l'image projetée* (Blou: Le Gac Press, 2012).

(11) He refers to the writings of the mathematician Poincaré and the science-fiction novel by Gaston de Pawlowski, *Journey to the Land of the Fourth Dimension*, 1912.

(12) "Each ordinary 3-diml body, inkpot, house, captive balloon, is the perspective projected by numerous 4 diml bodies upon the 3 diml medium." Marcel Duchamp, *The Writings of Marcel Duchamp* (Cambridge, MA: Da Capo Press, 1989), 96.

(13) See "La dioptrique," René Descartes, *Discours de la méthode*, 1637 (Paris: Garnier-Flammarion, 1966).

(14) Michel Foucault, *Surveiller et punir, Naissance de la prison* (Paris: Gallimard, 1975); *Discipline and Punish: The Birth of the Prison*, trans. Alan Sheridan (Harmondsworth: Penguin, 1977).

(15) Giorgio Agamben, *What is an Apparatus?* (Palo Alto: Stanford University Press, 2009).

(16) Donjon de Vez, as part of the exhibition *Small, Medium, Large*, 2011.

(17) See Descartes' *Les Méditations métaphysiques*, 1641; *Meditations and Other Metaphysical Writings*, trans. Desmond M. Clarke (Harmondsworth: Penguin, 1999).

(18) Agamben, *What is an Apparatus?*, 20.

(19) *1619* is also the title of a video by Grasso in which we see an aurora borealis.

(20) *Les Oiseaux*, 2008.

(21) "Perspective, as we shall see, shows and, even, demonstrates. To such a point that the ascendancy of the paradigm has made itself felt well beyond the borders of the regional domain within which it first made an impact (that of painting), and this without its having lost, to this day, any of its capacity to convey information or its power to attract." Hubert Damisch, *L'Origine de la perspective*, 1993; *The Origin of Perspective*, trans. John Goodman (Cambridge, MA: MIT Press, 1995), xxii.

(22) Laurent Grasso made an actual-size reproduction of the Horn antenna for his exhibition *The Horn Perspective* at the Centre Pompidou — Musée national d'art moderne, Paris, in 2009.

BIOGRAPHIE / BIOGRAPHY

Né en 1972 / Born in 1972
Vit et travaille à Paris / Lives and works in Paris

EXPOSITIONS PERSONNELLES / SOLO SHOWS

2013
Uraniborg, Musée d'art contemporain de Montréal.

2012
Uraniborg, Jeu de Paume, Paris.
Future Archeology, Edouard Malingue Gallery, Hong Kong.

2011
Portrait of a Young Man, Bass Museum, Miami.
1610, Alfonso Artiaco Project Space, Naples.
Bomarzo, Soirée Nomade, Fondation Cartier pour l'art contemporain, Paris.
Black Box, Hirshhorn Museum and Sculpture Garden, Washington.

2010
The Silent Movie, Galerie chez Valentin, Paris.
Sound Fossil, Sean Kelly Gallery, New York.
The Birds, Saint Louis Art Museum, Saint Louis (États-Unis).

2009-2011
NOMIYA, Palais de Tokyo, Paris.

2009
Reflections Belong to the Past, Kunstverein, Arnsberg (Allemagne).
The Horn Perspective, Espace 315, Centre Pompidou — Musée national d'art moderne, Paris.
Gakona, Palais de Tokyo, Paris.

2008
Laurent Grasso, Prefix — Institute of Contemporary Art, Toronto.
Infinite Light, Hunter College Art Galleries, New York.
Neurocinéma, Musée départemental d'art contemporain, Rochechouart (France).
Time Dust, Galerie chez Valentin, Paris.
L'Atelier d'hiver de Laurent Grasso, domaine Pommery, Reims (France).
Neurocinéma, Akbank Sanat, Istanbul.

2007
Magnetic Palace, IAC, Villeurbanne (France).
Electric Palace, Studio 814, New York.
Project 4 Brane, Espace Galeries Lafayette, FIAC, Paris.

2006
Du soleil dans la nuit, Nuit Blanche, Paris.
Éclipse, MIT, Cambridge, (États-Unis).
28j, École des beaux-arts, Valenciennes (France).
Paracinéma, Fondation d'entreprise Paul Ricard, Paris.
Paracinéma, Villa Médicis, Rome.

2005

Projection, Galerie chez Valentin, Paris.
Radio Color Studio, De Appel Foundation, Amsterdam.
Purkinje's Tree, IrmaVeplab, Châtillon-sur-Marne (France).

2004

Radio Ghost, Crédac, Ivry-sur-Seine (France).
Radio Ghost, Galerie agnès b., Hong Kong et Tokyo.

2002

Soyez les bienvenus, Centre de photographie, Lectoure (France).
Mes Actrices, CNP, Paris.
Tout est possible, Galerie chez Valentin, Paris.

EXPOSITIONS COLLECTIVES / GROUP SHOWS

2012

Néon. Who's afraid of red, yellow and blue ?, la maison rouge, Paris.
Howling at the Moon, Dickinson NYC, New York.

2011

2001-2011 : Soudain, déjà, École nationale supérieure des beaux-arts (ENSBA), Paris.
Architecture of Fear, Z33, Hasselt (Belgique).
Memories of the future, la maison rouge, Paris.
French Art Today, National Museum of Contemporary Art (NMOCA), Séoul.
Translife, National Art Museum of China, Beijing.
Small, Medium, Large, donjon de Vez, Vez (France).
French Windown, Mori Art Museum, Tokyo.

2010

ResPublica, Fondation Calouste Gulbenkian, Lisbonne.
Manifesta 8, Carthagène (Espagne).
Memories of the future, Venue Samsung Museum, Séoul.
Memories of the future, Sean Kelly Gallery, New York.
Transit-Topos, Akbank Sanat Gallery, Istanbul.
Dreamlands, Centre Pompidou — Musée national d'art moderne, Paris.

2009

Projection autour des manipulations du temps, Carré d'art, Nîmes.
Hitchhikers to the Galaxy, Daejeon Museum of Art, (Corée du Sud).
La Confusion des sens, Espace culturel Louis Vuitton, Paris.
Paisagens Obliquas, Musée municipal, Faro.
Gateway Foundation, Saint Louis (États-Unis).
Biennale de Sharjah 9th, Sharjah (Émirats arabes unis).

2008

to: NIGHT, Hunter College Art Galleries, New York.
Maternités cosmiques, Espacio de las artes, Ténérife (Espagne).
Philippe Journo propose un parcours autour de deux artistes de sa collection, place Vendôme, Paris.
Translation, Museum of Modern Art, Moscou.

2007

Come and Go : Fiction and Reality, Fondation Calouste Gulbenkian, Lisbonne.
In parallelen welten, Museum für Gegenwartskunst, Siegen (Allemagne).
L'histoire d'une décennie qui n'est pas encore nommée, Biennale de Lyon.
Phantasmagoria : Specters of Absence, The Contemporary Museum, Honolulu.
Weather Report, Centro Altantico de Arte Moderno, Las Palmas (Espagne).
Mystic Truths, Auckland Art Gallery (Nouvelle-Zélande).
New Horizons, Museo de Arte Contemporánea (MARCO), Vigo (Espagne).

2006

Building the World, Museo de Arte Contemporaneo (MARCO), Monterrey (Mexique).
A Tale of Two Cities, Ve Biennale de Busan, Busan (Corée du Sud).
Distorsions, IAC, Villeurbanne (France).
From There, Bloomberg SPACE, Londres.
Satellite of Love, Witte de With, Rotterdam.
Notre Histoire, Palais de Tokyo, Paris.

2005

OK/OKAY, Grey Art Gallery & Swiss Institute, New York.
Invisible Script, W139, Amsterdam.
Radio Days, De Appel Foundation, Amsterdam.
Voix Off, Centre régional d'art contemporain (CRAC), Sète (France).

2004

Résidence aux Abattoirs, Toulouse.
Paralight, parcours Saint-Germain, Paris.
Biennale de Busan, Busan (KR).
f.2004@shangai, La Fabrique, Shanghai.

2003

Design matografi y experimenta design, Biennale de Lisbonne.
Plan 03, Museum für Angewandte Kunst, Cologne (Allemagne).
Mobilité/Synesthésie, École nationale supérieure des beaux-arts (ENSBA), Paris.

2002

Printemps de Septembre, Toulouse.
Subréel, Musée d'art contemporain (MAC), Marseille.
Rendez-vous, Smack Mellon, Brooklyn, New York.

BIBLIOGRAPHIE / BIBLIOGRAPHY

ARTICLES DE PRESSE / PRESS ARTICLES

Elisa Turner, « Reviews : Laurent Grasso, Bass Museum of Art », *ARTnews*, avril 2012.
Margery Gordon, « Shifting Time and Sardonic Surrealism », *Art Basel Miami Beach*, décembre 2011.
Roxana Azimi, « Miami consacre deux expositions à la scène française », *Le Quotidien de l'art*, 6 décembre 2011.
Sabeth Buchmann, « Manifesta 8 », *Artforum*, février 2011.

Tom Williams, « Laurent Grasso — Sean Kelly Gallery », *Art in America*, décembre 2010.
Michael Wilson, « Laurent Grasso — Sean Kelly Gallery », *Artforum*, décembre 2010.
Julia Moreno de Rouvray, « Laurent Grasso, Galerie chez Valentin », *artforum.com*, novembre 2010.
Mariana Schroeder, « Touching the Taboo », *The Wall Street Journal*, 15 octobre 2010.
Nathalie Shutler, « Sound Fossil », *Modern Painters*, 14 octobre 2010.

Olivier Reneau, « Peinture vers le futur », *L'Officiel*, décembre 2009.
Arnauld Pierre, « The Horn Perspective », *art press*, juillet 2009.
Alexis Jakubowiz, « Le Big-Bang Grasso Modo », *Libération*, 25 juin 2009.
Jeremy Dessaint, « La modernité en mouvement », *Keith*, juin 2009.
Olivier Le Floch, « Laurent Grasso, archéologue de l'imaginaire », *La Tribune*, 23 mai 2009.
Olivier Reneau, « Au-delà du réel », *Air France Madame*, avril 2009.
Julie Portier, « Aux frontières du réel », *Le Journal des Arts*, 3 avril 2009.
Gareth Harris, « Laurent Grasso : Mind Over Matter », *The Art Newspaper*, mars 2009.
Françoise-Claire Prodhon, « Laurent Grasso, l'envers du réel », *AD*, février 2009.
Rhama Kazman, « Gakona », *artforum.com*, février 2009.

« Because we're highly, receptive to bold, brilliant, middly lunatic public art », New York, décembre 2008.
Tina Kelley, « Why did the Neon Sign Cross the Road ? », *The New York Times*, 25 septembre 2008.
Emmanuelle Lequeux, « Ironie sur un monde d'écoute », *Le Monde*, 16 août 2008.
Daphné Le Sergent, « Laurent Grasso », *Zéro Deux*, été 2008.
Jean-Max Colard, « Time Dust », *Les Inrockuptibles*, 25 mars 2008.
Charles Barachon, « Laurent Grasso en pleine parano », *Technikart*, mars 2008.
Frédéric Bonnet, « Écran magnétique », *Le Journal des Arts*, janvier 2008.

Vanessa Morisset, « Dans l'ombre d'un doute, Science et réalité dans l'œuvre de Laurent Grasso », *20/27*, janvier 2008.

Vanessa Morisset, « Une nouvelle méthode paranoïaque-critique », *Esse*, octobre 2007.

David Barett, « From there, Bloomberg Space », *Art Monthly*, juillet 2006.
Jean-Max Colard, « Laurent Grasso », *Artforum*, mars 2006.
Michel Gauthier, « Laurent Grasso », *Frog*, mars 2006.
Frédéric Bonnet, « Une présence fantomatique », *Le Journal des Arts*, février 2006.

Stefano Chiodi, « Extraspazio », *Tema Celeste*, novembre 2005.
Christophe Kihm, « Laurent Grasso », *art press*, novembre 2005.
Judicaël Lavrador, « Madame Irma », *Les Inrockuptibles*, octobre 2005.

Christophe Kihm, « Vidéo-capture », *art press*, novembre 2004.
Anne Bonnin, « Laurent Grasso », *art press*, avril 2004.
Christian Merlhiot, « La ville fantôme », *La Lettre du cinéma*, avril 2004.
Marta Gili, « Laurent Grasso », *Tema Celeste*, mars 2004.
Olivier Michelon, « Histoires de fantômes chinois », *Le Journal des Arts*, 6 février 2004.
Elfi Turpin, « Cure Vidéo », *Standard*, février 2004.
Léa Gauthier, « Un ange passe », *Mouvement*, janvier 2004.

Nicolas Thely, « Tout est possible », *Les Inrockuptibles*, 1er mai 2002.
Emmanuelle Lequeux, « Plongée en eaux troubles », *Aden*, 24 avril 2002.

CATALOGUES D'EXPOSITIONS PERSONNELLES / SOLO SHOWS CATALOGUES

Jean-Pierre Bordaz et Michel Gauthier, in *The Horn Perspective*, Paris, Éditions Centre Pompidou, 2009.
Elie During, Yoann Gourmel, Christophe Kihm, Claire Staebler et Marc-Olivier Wahler, in *Le Rayonnement du corps noir*, Dijon, Les presses du réel, 2009.

Ali Akay, in *Laurent Grasso/Neurocinéma*, Istanbul, éd. Akbank Sanat, 2008.

Christophe Khim et Claire Le Restif, in *Laurent Grasso*, Arles, Actes Sud, 2006.

CATALOGUES D'EXPOSITIONS COLLECTIVES / GROUP SHOWS CATALOGUES

In *Antidote*, Paris, éd. JRP|Ringier, 2012.

Hélène Meisel, in *2001-2011 : soudain déjà*, Paris, ENSBA, 2011.
« Nomiya », in *Temporary Architecture Now*, Cologne, Taschen, 2011.
Akiko Miki, in *French Window*, Tokyo, Mori Art Museum, 2011.
Lee Jiho, in *French Art Today*, Séoul, NMOCA, 2011.

« Changement de décor », *Dreamlands*, Paris, Éditions Centre Pompidou, 2010.

Françoise Cohen, « Stratégie du détournement », *Projections*, Paris, Carré d'Art/Archibooks, 2009.
Damien Sausset, « Laurent Grasso », *La Confusion des sens*, Paris, Espace culturel Louis Vuitton, 2009.
Marc-Olivier Wahler, « Fantasmes et spectres d'une réalité élastique », *Gakona*, Paris, Palais Magazine, 2009.

Arnauld Pierre, « Laurent Grasso », *FrenchConnection*, éd. Black Jack, 2008.
Tracy L. Haddler, « Bringing light », *To Night*, New York, Hunter College, 2008.

José Roca, in *Phantasmagoria, Specters of Absence*, New York, éd. ICI, 2007.
Vanessa Morisset, « Laurent Grasso », *Parallelen Welten*, Siegen, Museum fur Gegewartskunst, 2007.

Michel Gauthier, « Laurent Grasso », *Antidote*, Galeries Lafayette, 2006.
Stefano Chiodi, « Voix Off », *Notre Histoire*, Paris, Paris Musées/Palais de Tokyo, 2006.

Marta Gili, « Laurent Grasso », *Fragilités. Printemps de Septembre*, Arles, Actes Sud, 2002.
François Piron, *Subréel*, Marseille, MAC, 2002.

Cet ouvrage est publié à l'occasion de l'exposition *Laurent Grasso, Uraniborg*, présentée au Jeu de Paume, Paris, du 22 mai au 23 septembre 2012, et au Musée d'art contemporain de Montréal du 7 février au 28 avril 2013. / This book is published on the occasion of the exhibition *Laurent Grasso, Uraniborg*, presented at the Jeu de Paume, Paris (May 22–September 23, 2012) and at the Musée d'art contemporain de Montréal (February 7–April 28, 2013).

Cette exposition est coproduite par le Jeu de Paume, Paris, et le Musée d'art contemporain de Montréal. / The exhibition is coproduced by the Jeu de Paume, Paris, and the Musée d'art contemporain de Montréal.

Commissariat de l'exposition / Curators of the exhibition :
Laurent Grasso
Marta Gili, Jeu de Paume, Paris
Marie Fraser, Musée d'art contemporain de Montréal